COLLECTION FOLIO

Meryem Alaoui

La vérité sort de la bouche du cheval

Gallimard

Meryem Alaoui est née et a grandi à Casablanca. Son premier roman, *La vérité sort de la bouche du cheval*, a été sélectionné pour le prix Goncourt 2018. Elle vit aujourd'hui à New York.

2010

JUIN

Casablanca, vendredi 11

Quand j'ai fini de travailler, je ne perds pas de temps. Je baisse ma jellaba, y lisse un pli et j'attends. Que celui du moment remonte sa braguette ou fume sa cigarette. Et qu'il descende pour que je retourne à ma place et en harponne un autre. Cette phrase, c'est la première chose que j'ai dite à Halima quand elle est arrivée il y a une semaine.

Le jour où il l'a amenée, Houcine m'a demandé de lui apprendre deux ou trois trucs sur le métier, en précisant qu'elle venait de sortir de prison. Je n'en sais pas plus sur elle.

Et pour être honnête, Houcine était un peu contrarié ce jour-là. Du coup, je n'ai pas trop posé de questions. Parce que c'est un nerveux. À l'image de ses muscles. Fins mais voyants, comme s'ils étaient tracés au stylo. La dernière fois qu'il s'est mis en action, c'était il y a deux jours seulement. Je ne sais plus exactement ce qui s'était passé mais ça devait probablement être quelqu'un qu'il n'aime pas qui avait manqué de respect à l'une des filles.

C'est ce qu'il aime le moins sur terre, va savoir pourquoi. Quand ça arrive, tu ne peux rien faire pour l'arrêter. Sa moustache se met à trembler, il se dresse sur ses jambes, alors qu'il est déjà grand ; sa peau fonce alors qu'il est déjà mat et tu ne vois plus que les cicatrices éparpillées sur son corps comme les fêlures sur les trottoirs de Casa. Ou plutôt, comme les rayures du tigre sur son pelage. Ça impressionne et c'est pour ça qu'on travaille pour lui. On est tranquilles.

En ce moment, Halima et moi, on est assises sur mon lit, dans la pénombre, et à vrai dire, je ne lui explique que le minimum. Il m'a fallu des années pour apprendre ce que je sais ; ce n'est pas pour tout lâcher à une salope qui vient de débarquer. Et l'autre, Houcine – excité ou pas –, il ne va pas venir me dire quoi faire de mon temps libre.

Quand elle est arrivée, je n'ai pas eu besoin de lui faire visiter chez moi. On en a vite fait le tour. Ma chambre est rectangulaire et dedans, j'ai deux matelas qui font angle face à la porte. Ils font salon le jour et, la nuit, on dort dessus. Il y en a un pour ma fille et un pour moi.

J'ai aussi une petite table en bois ronde pour manger. Et une armoire dans laquelle je mets nos vêtements. Halima, elle, range ses affaires dans un sac bleu pourri et dort sur un matelas en éponge qu'elle a ramené avec elle. Quand elle se lève le matin, elle le roule et le cale entre l'armoire et le matelas de droite.

Au-dessus d'un des matelas, j'ai une fenêtre qui donne sur la rue. J'y passe pas mal de temps. Parce que quand je ne regarde pas la télévision, je regarde les gens qui vont et qui viennent, en mangeant des pépites*[1].

À gauche de l'entrée, il y a la cuisine. Ne va pas imaginer une vraie cuisine. C'est juste une pièce qui fait office de cuisine. J'y ai mis un petit frigidaire, une butane, une marmite, des bassines et le truc que j'aime le plus dans cette maison après la télévision : une théière beige avec une fleur rose dessus et des verres transparents, gravés de fleurs, le tout sur un plateau rond. Je les ai posés sur une étagère en bois tout en haut, pour que rien ne casse. En face de l'étagère, il y a une ouverture carrée qui donne sur le couloir où il y a les chambres que louent les autres filles et la salle d'eau, avec des toilettes et un robinet pour faire ses ablutions.

C'est ça ma maison.

Et comme je n'ai pas de salle de bains, une fois par semaine – le lundi – je vais au hammam. Avant d'aller au bain, je lave mes vêtements et les étends sur le toit, sur les fils de fer qu'on se partage avec les autres habitants de l'immeuble. J'ai expliqué à Halima qu'il ne faut pas toucher à ceux qui sont complètement à droite. Ils sont

1. Les mots ou expressions suivis d'un astérisque sont définis dans un glossaire en fin d'ouvrage.

à la voisine du deuxième. Elle, ce n'est pas une fille comme nous mais, crois-moi, elle sait se faire respecter.

L'autre jour, on a voulu changer la place de la poubelle d'en bas, à l'entrée, parce qu'on a remarqué que quand on ramène des hommes, parfois ils grimacent en voyant tous ces sachets noirs sous l'escalier. Et c'est vrai que ce n'est pas net. En plus, quand ils sont mal fermés, ça attire les chats de la rue qui viennent farfouiller dedans. Ils éventrent les sachets et après on retrouve des saletés partout. Sur les escaliers, sur le sol, jusque sur les murs.

Alors nous, comme on en a eu marre, on a envoyé Rabia, qui habite au premier, pour qu'elle tape à la porte de tout le monde pour leur dire qu'à partir de ce jour, il fallait jeter les ordures dans la grande poubelle verte, sur le trottoir en face de l'immeuble. Pas dans l'entrée. La voisine du deuxième a failli lui arracher les yeux quand elle a entendu ça. Rabia, qui est Rabia, a eu peur.

Honnêtement, je me mets à sa place. Il faut la voir, la voisine, pour comprendre ce que je dis. Elle est grande et elle ressemble à une armoire. Elle a des cheveux noirs, attachés en arrière sous son foulard. Elle a des seins énormes qui sont le prolongement de son ventre ou l'inverse. Et quand elle parle, elle a toujours un sourcil levé et les poings sur les hanches. Quand tu la vois, déjà, tu te demandes ce que tu fous devant elle.

Bref, quand Rabia est allée lui expliquer pour les poubelles, elle y a été poliment.

— *Salam*, lui a dit Rabia.

— *Salam*, a répondu l'autre, en insistant sur le « s » comme un serpent, le sourcil prêt à la guerre.

— Ma sœur, s'il te plaît, on a des problèmes avec les ordures et on a décidé de commencer à les mettre sur le trottoir d'en face, dans la poubelle verte. Tu pourras les mettre là-bas toi aussi ?

— Mes ordures ?

Et elle a enchaîné sans faire de pause :

— Comment ça mes ordures ? Tu n'as trouvé que moi ici à qui demander de jeter ses ordures dans la rue ?

— …

— Et tu viens dans ma maison pour me dire ça ?

— …

— Tu ferais mieux d'aller t'occuper des saletés que vous produisez toutes ici avant de venir me voir !

Quand elle a commencé sa tirade, sa main droite était sur sa hanche pendant que son front avançait vers celui de Rabia, comme celui du mouton de l'Aïd quand on essaie de l'attraper. Quand elle parlait d'elle, elle ramenait son index gauche à sa poitrine en tapotant dessus. Et quand elle parlait de nous, elle le mettait juste devant les yeux de Rabia. Rabia n'a pas insisté même si ce n'est pas dans ses habitudes de rater une occasion de se faire entendre. Elle a juste marmonné :

— C'est bon, c'est bon, ce n'est pas la peine de te déranger.

Rabia est retournée d'où elle était venue pendant que la voisine continuait à râler dans son dos en disant « C'est de mieux en mieux... ». Des escaliers où j'étais, je pouvais la voir qui poignardait des yeux le dos de Rabia tout en nouant ses cheveux, son épingle dans la bouche et la tête légèrement baissée vers l'avant pour mieux arranger son chignon. Le regard mauvais et en continuant de siffler entre ses dents « Et elle vient jusque chez moi pour dire ça... ».

Quand Rabia nous a dit après qu'elle n'a pas voulu lui rentrer dedans, on a compris qu'elle n'a pas pu et on n'a pas insisté. Parce que Rabia a un très bon instinct. Ça l'a sauvée pas mal de fois dans sa vie. D'ailleurs, on a toutes un bon instinct. Et c'est pour ça qu'on est là, en plein centre-ville de Casablanca, avec Houcine et pas en prison ou à traîner dans les rues.

Depuis ce jour, on ne demande plus rien à la grosse. C'est comme ça qu'on appelle la voisine. La grosse ou Okraïcha*, ça dépend. Et on déplace nous-mêmes ses poubelles, qu'elle continue à mettre dans l'entrée.

En racontant ça à Halima, j'ai bien sûr oublié de lui dire que certains soirs, quand on est bien éméchées, on monte sur le toit, on jette à terre les draps de Okraïcha et on les arrose ensuite de ce que tu imagines en riant comme des cinglées.

Moi, à ce moment, je lâche un youyou comme il n'y en a pas deux. Je suis forte en youyous. Quand je lâche ma langue, elle part comme un train pressé.

Alors avec le bruit qu'on fait, c'est impossible que la grosse ne nous entende pas. C'est entre autres pour ça qu'on jubile.

Elle ne monte jamais et elle ne dit rien.

— Donc, tant que tu es chez moi, tu ne t'approches pas de la grosse, tu as compris ? je dis à Halima.

Avec son visage délavé et son regard de chien battu, elle dit oui.

J'approche le cendrier, j'allume une cigarette et je tire rapidement dessus pour continuer à lui raconter mes journées en insistant bien sur l'essentiel : la quantité. Parce qu'il faut en voir, des hommes, pour vivre. Au moins six par jour. Sept ou huit, c'est mieux, mais six, c'est déjà bien.

Quand je finis avec un client, je retourne à ma place en courant. En fait, je marche mais quand on me voit, on a l'impression que je cours. C'est le naze de Hamid, le gardien du garage Majestic au bout de la rue, qui me l'a dit. Celui qui est tout anguleux et qui passe sa journée à chasser les mouches. Il travaille au garage depuis dix ans au moins. Depuis le jour où il a échoué au bac en fait. Et depuis dix ans, ben il chasse les mouches. Le soir, il est toujours posé avec deux ou trois de ses copains, une bande de désœuvrés à qui il raconte ce qu'il a vu dans la journée.

Moi, je n'ai jamais couché avec aucun d'eux. Dans le quartier, je ne couche qu'avec ceux qui transitent, pas avec ceux qui y vivent ou y travaillent. Tu te fais plus respecter, comme ça.

Enfin, ça c'est la version officielle parce que quand j'en ai besoin, je le fais dans un coin et je ne le dis à personne. Mais je n'ai jamais été avec Hamid. Hamid, je glande juste avec lui de temps en temps pour qu'il me rapporte les nouvelles fraîches du quartier.

Comme le garage est juste à côté de notre immeuble, je passe souvent devant. Et c'est vrai que je marche toujours vite, sauf quand je cherche un homme parce qu'il faut être attirante quand même. Quand j'y pense, je ralentis et je fais comme ça. Je me déhanche lentement, je regarde à droite et à gauche ; je m'appuie sur ma jambe gauche, puis sur la droite, comme un dromadaire. De derrière, ça fait un mouvement lent mais nerveux : quand mes fesses montent, c'est en saccades. Et quand elles descendent, c'est pareil. C'est appétissant, comme la Danette au caramel que j'achète à ma fille.

Dans la rue, j'ai mon bout de trottoir, sur l'escalier, près du feu. C'est au croisement des deux grandes rues qui font angle avec le marché. C'est la meilleure place. Je ne suis pas seule dessus, c'est sûr, mais c'est la meilleure place.

Quand tu as de l'expérience, c'est là-bas que Houcine te met. D'abord, parce que quand tu as des années de terrain derrière toi, tu mérites de moins galérer, mais surtout parce qu'il faut savoir repérer les flics. En général, on n'a pas de problèmes avec eux. Houcine les connaît bien. Et nous aussi…

Mais parfois, ils débarquent. Comme quand Anissa, la folle qui traîne souvent dans le quartier, est défoncée et qu'elle hurle à la mort en mettant dans la même phrase Dieu, sa chatte et le fils de pute qui lui a fait ça. Quand ils arrivent, tu les repères de loin. Et si tu ne les vois pas, tu le sais parce qu'il y a toujours une des filles ou Houcine qui donne le signal. On ne se sauve jamais en courant. On se planque d'abord, derrière une voiture ou une poubelle. De l'extérieur, ça doit être drôle. On est toutes accroupies, les culs serrés dans nos jellabas qui collent. Et avec juste nos têtes qui dépassent sur le côté. Comme on est plusieurs, il y a des têtes qui débordent de partout, comme les fleurs dans les bouquets du vieux Haj, le fleuriste du marché.

À ce moment, on attend de voir ce qui va se passer. Parce que ce n'est pas toujours sur nous qu'ils se rabattent. Mais quand ils se dirigent de notre côté, ils nous trouvent prêtes à toutes détaler dans la même direction : notre immeuble. Au coin de la rue, avant de tourner à gauche, on s'arrête sous l'arbre du quartier. La plupart du temps, ça finit par un sprint et là, nos têtes, elles ne ressemblent plus à des fleurs dans un bouquet. Elles sont plutôt comme celles des chiens décoratifs qu'on met à l'arrière des voitures pour faire joli. Elles vont de droite à gauche, comme sur des ressorts. Parce que tout en courant, on vérifie si les flics ne nous suivent pas. Parfois, même à ce stade, c'est une fausse alerte. Alors, chacune retourne à sa place et on rallume nos clopes.

Moi, en général, je me remets sur l'escalier avec Samira, Rabia et Fouzia. Ce sont elles qui sont toujours avec moi. La connasse de Hajar et sa copine – qui est aussi conne qu'elle – se mettent de l'autre côté de la rue, en face du marché. En temps de paix, on les laisse s'asseoir à côté de nous. Mais la plupart du temps, elles sont en face.

Et ensuite, on attend. Que les hommes passent pour leur donner des idées. Quand ils sont à notre niveau, on soupire. Comme ça, s'ils veulent, ils s'arrêtent, ils descendent de voiture et ils te disent un truc du style « On ne ferait pas connaissance, beauté ? ». Bon, pour être honnête, ils descendent rarement de voiture. Par contre, quand ils passent à pied, là on ne les rate pas. Eux, ils font genre ils ne font que passer mais ce sont des conneries. Ils viennent pour nous et ça, on le sait.

Dimanche est le meilleur jour de la semaine, meilleur que le samedi soir, meilleur que le vendredi soir, meilleur que tout. Ceux qui ont eu des semaines difficiles viennent chez nous. Ils passent l'après-midi dans l'un des bars du quartier et quand ils en sortent, vers quatre ou cinq heures, après plusieurs Stork* ou Spéciale*, la vie leur semble belle. Ils n'ont qu'une envie :

faire durer le plaisir et l'oubli. Et ils le font dans nos ventres à nous. Ça ne dure pas longtemps, mais c'est déjà ça.

Donc quand ils passent dans la rue, ils te disent « On ne ferait pas connaissance, beauté ? ». Alors, là, tu négocies. Pas longtemps parce que nos tarifs sont connus. Je me fais mille à mille six cents rials* par passe. Je ne fais jamais crédit, pas comme cette salope de Hajar qui casse le marché. Quand tu as négocié, tu devances le gars de quelques mètres, et il te suit. Quand tu avances, tu te retournes tous les deux ou trois mètres pour t'assurer qu'il est toujours là et lui faire garder l'envie.

Moi, quand un homme me suit et que je suis bien concentrée sur comment je bouge, je pourrais sentir la pression de sa trique entre mes fesses. Les mecs, en général, je leur montre que j'en ai envie parce qu'ils aiment ça. Et nous, on aime quand ils sont contents parce qu'ils paient sans faire d'histoires.

Et je sais de quoi je parle. Ça fait presque quinze ans que je pratique ce métier.

Aujourd'hui, je suis d'humeur à parler. Mais en général, je ne rentre pas dans les détails. Je dis juste que je m'appelle Jmiaa, que j'ai trente-quatre ans, une fille, et que pour vivre, je me sers de ce que j'ai.

Vendredi 18

Aujourd'hui, la rue grouille de monde. Normal pour un vendredi. On est au mois de juin, il fait chaud à Casablanca et les journées sont longues. Au début du mois dernier, ils ont annoncé aux infos qu'on allait changer l'heure d'hiver pour passer à l'heure d'été et on a rajouté une heure à notre montre. Ils ont expliqué pourquoi en disant que ça allait faire des économies. C'est bien, je trouve. Du coup, il est plus de huit heures et demie et le soleil est encore dans le ciel.

J'ai mis ma jellaba rouge, le foulard rouge à fleurs vertes, un trait de khôl et j'ai passé une couche de rouge à lèvres rouge. Mes cheveux sont bien attachés. Heureusement que je ne les ai pas coupés l'autre jour. J'étais énervée – je ne sais plus pourquoi – et sur un coup de tête, j'ai failli ruiner dix ans d'attente pour qu'ils m'arrivent à la taille.

Là, je vais rejoindre les filles sur l'escalier et prendre quelques verres le temps de démarrer. Je marche vite parce que je suis déjà en retard. Je porte un sachet noir dans lequel j'ai mis la bouteille de rouge et le verre en plastique. Aujourd'hui, c'était mon tour d'acheter le vin. Hier, c'était Samira et avant-hier, je ne sais plus qui c'était.

J'ai de la chance d'avoir cette bouteille entre les mains. Tout à l'heure, je me suis oubliée devant la télévision et quand j'ai regardé l'heure, il était déjà huit heures moins dix. Dix minutes avant que le dépôt d'alcool baisse le rideau. Avec cet horaire d'été de merde, on ne se rend pas compte qu'il est tard.

Bon, c'est vrai que ça n'aurait pas été la fin du monde s'il avait été fermé. Mais après, j'aurais dû payer la bouteille une fois et demie le prix chez l'autre voleur de Bachir, l'épicier. Celui-là, je ne te dis pas l'argent qu'il se fait à vendre de l'alcool sous le comptoir. Ce qu'il nous facture lui rapporte tellement qu'il a de quoi arroser tous les flics du quartier pour qu'ils fassent mine d'être aveugles. Et avec ce qu'on consomme, je peux te dire qu'il n'y a aucune chance qu'ils retrouvent la vue. Fils de pute !

Bref, tout à l'heure, quand j'ai vu l'heure, je n'ai fait qu'un bond. J'ai enfilé ma jellaba des courses rapides, celle qui est accrochée derrière la porte d'entrée, et j'ai dévalé les trois étages qui me séparent de la rue.

Je n'ai pas emmené mon ombre avec moi au dépôt, elle est trop lente. Mon ombre, c'est Halima. Elle ne fait que me suivre. Je lui dis viens et elle vient. Quand je lui dis on se casse, elle part aussi. Même là tout de suite, elle est derrière moi.

Parfois, ça m'énerve qu'elle me colle autant. Mais quand je me tourne vers elle pour l'engueuler parce qu'elle me fait perdre mon temps, je suis toujours prise de court. Elle tire une telle tronche. On dirait qu'elle porte le poids du monde sur ses épaules. Alors, je souffle fort, pour qu'elle comprenne quand même qu'elle me fait chier, et j'avance plus vite. Et cette débile, ben elle presse le pas et elle me suit.

Elle est encore chez moi et à vrai dire, elle commence à me taper sur le système. Elle ne veut jamais bouger en dehors du boulot. En plus, quand elle ne travaille pas, elle passe son temps à lire ou à écouter du Coran, un foulard – tellement vieux qu'on voit ses cheveux au travers – sur la tête. Genre, je suis une fille bien et sérieuse. Et si tu es ce que tu dis que tu es, qu'est-ce que tu fous là, alors ?

Elle n'a toujours pas répondu à cette question, d'ailleurs, mais à vrai dire, je n'insiste pas. Parce que je sais d'expérience que dans des situations comme celles-là, rien ne vaut le temps qui passe.

— Bon, tu accélères ? je dis en me tournant vers Halima.

— …

On n'est pas encore arrivées au marché mais je vois les filles là-bas, assises sur les escaliers. Elles sont déjà toutes là. Il y a Samira, Fouzia, Rabia. Il y a même Hajar et sa copine. Elles se sont déjà démerdé des trucs à boire. Hajar porte un gobelet en plastique blanc à ses lèvres. Et c'est la futée de Samira qui sert les verres ; pour mieux contrôler les quantités qu'elle verse.

En ce moment, Samira fricote avec un type qui lui fait pas mal d'histoires et elle n'arrête pas d'en parler. Le voilà qui lui a mis un pain et le voilà qui est revenu vers elle en pleurant comme dans les jupes de sa mère. C'est un flic. Elle ne l'avouera jamais mais je crois qu'elle a le béguin pour ce connard. Quand il parle, elle le regarde la bouche ouverte et elle s'accroche à lui comme si c'était le seul homme sur terre.

Physiquement, il n'a rien de particulier. Il est bien rempli, moustachu, il porte toujours une chemise blanche et un pantalon gris en toile légère. Pas plus grand ni plus petit que la moyenne. Quand tu ne le connais pas, il ne semble ni plus sympa ni plus pourri que les autres. Mais moi, je ne l'aime pas. Je sais qu'il est tordu de l'intérieur. Il a un regard vicieux comme le diable.

En plus, quand tu les regardes tous les deux, tu vois qu'elle est mille fois mieux que lui. Elle est pleine, elle aussi. Mais ronde là où il faut. Et elle a une couleur impeccable sur ses cheveux. À la racine, ils sont foncés et plus tu descends, plus ils s'éclaircissent. Au bout, ils sont presque blonds. Et elle n'est pas juste bien dotée. Samira, c'est une vraie femme. Capable. De confiance. Je ne sais vraiment pas ce qu'elle fait avec ce minable.

L'autre jour, on était toutes les deux au bar là-bas, le Pommercy, avec l'autre tordu de Aziz et deux de ses potes, des flics eux aussi. Il avait commandé une bouteille de rouge. On rigolait bien. Les gars avaient envie de faire la fête et racontaient un tas d'anecdotes du commissariat.

Samira est partie aux toilettes. Dès qu'elle

s'est levée, il a mis une de ses palmes sur mes fesses. Lui, d'habitude, il ne pose pas les mains sur moi parce que Samira n'aime pas qu'il touche les autres filles. Et je la comprends. Mais j'ai laissé sa main là où elle était. Je ne suis pas tarée pour aller me mettre un flic sur le dos.

Il était content parce que dans l'après-midi, il avait coincé un voleur, un petit jeune de je ne sais où, et qu'il lui avait fait sa fête à la fosse. C'est comme ça qu'on appelle le trou. Pendant que Samira était aux toilettes et tout en me malaxant les fesses, il nous a raconté comment le gamin était effrayé quand il a commencé à lui poser des questions.

— Alors, espèce de petite frappe, qu'est-ce que tu foutais avec ton copain en plein Maârif* cet après-midi ? il lui a dit.

— Rien. On est allés se promener, lui a répondu l'autre.

— Te promener ? Qu'est-ce qu'un bouseux comme toi va se promener au Maârif ?

En disant ça, il grimaçait pour mimer l'air mauvais qu'il avait pris en rapprochant son visage du gamin.

— Qu'est-ce que tu foutais là-bas, hein ?

— Rien, on se promenait, a répété le gars.

Il n'en fallait pas plus pour que Aziz se déchaîne. Le jeune qu'il avait attrapé en flagrant délit faisait l'innocent, en espérant que ça passerait. Avec son copain, ils avaient pris une moto et s'étaient rendus au Maârif pour arracher quelques sacs à la volée. C'était lui qui conduisait. Ils sont arrivés au niveau d'une femme d'une cinquantaine d'années qui marchait devant eux sur le trottoir. Son copain est descendu, il a couru jusqu'à la nana, a arraché son sac et est remonté sur la moto. Rien d'anormal jusque-là. Sauf qu'ils n'ont pas eu de chance. L'estafette de police était juste au coin de la rue. Dès qu'ils l'ont aperçue, ils ont jeté leur prise. Mais ils se sont fait choper comme des cons. Et comme des cons, ils ont voulu nier que c'était eux.

Comme en plus leur fortune était pourrie ce jour-là, ils sont tombés sur Aziz, le flic de Samira. Qui attendait juste qu'un mec plus minable que lui atterrisse dans sa paume. Pendant qu'il racontait ça, Aziz jubilait. Plus le gosse cherchait à se protéger le visage, plus Aziz lui mettait des torgnoles. Un vrai enragé ! Et en racontant ça, il riait aux éclats.

Quand Samira est revenue, elle a vu Aziz qui m'attrapait. Elle n'a rien dit et s'est juste assise à côté de lui. Elle était énervée. Mais elle n'est pas conne, Samira. Elle a fait comme n'importe quelle autre fille intelligente aurait fait. Elle a pris une cigarette en se tournant vers lui pour qu'il la lui allume et en pressant ses seins sur sa poitrine.

Il a oublié mon cul. Sûrement parce qu'il sait ce qu'il y a sous la jellaba de Samira.

Et c'est là qu'il lui dit : « Et je finis la journée avec une bombe dans les bras, n'est-ce pas beauté ? » Et en se tournant vers ses copains, il a dit : « Regardez comme elle est belle, vous en voyez souvent des comme ça ? »

Samira a ri à gorge déployée, ses copains se sont marrés, et moi j'ai fait pareil. Et là, on a commandé une autre tournée.

Tout ça pour dire que quand j'arrive à l'escalier avec Halima, Samira est en train d'insulter Aziz devant Hajar.

— Ce fils de pute, il croit que je n'ai rien d'autre à foutre que de l'attendre. Mais des comme lui, il y en a à la pelle. Il va voir ce qu'il va voir, la putain de sa mère.

Je m'assieds, j'allume une Marvel et je ne les écoute plus que d'une demi-oreille en attendant qu'elles changent de sujet. J'en ai marre de Aziz. Au début, je donnais des conseils et je disais à Samira ce qu'elle devait faire pour ne plus se prendre la tête avec lui mais j'ai arrêté parce qu'elle n'écoute jamais de toute façon. C'est toujours la même histoire : elle dit qu'elle va arrêter de le voir et qu'elle va se débarrasser de lui. Et chaque fois qu'on est au bar et qu'il débarque, elle court vers lui. Je n'ai pas arrêté de lui dire que pour lui, une chatte est une chatte et que la sienne est tellement ouverte qu'il n'y a pas de raison qu'il fasse d'efforts pour en trouver une autre. Mais parler à Samira, c'est comme verser de l'eau dans le sable.

— Jmiaa, qu'est-ce que tu fous ?

Rabia me regarde fixement. Elle est là, avec sa clope dans la main et une grimace sur le visage.

— Mais qu'est-ce que tu fous ? elle continue.

Je la regarde et je regarde autour de moi.

À ma gauche, sur le trottoir, il y a Robio*. Je ne l'avais pas vu. Robio, c'est ce mec qui vend des cintres, des babioles qui embaument les voitures et d'autres bricoles encore. Je le connais bien. Il vient souvent par ici. Il vend sa camelote au feu, à côté de l'arbre. Sa marchandise change tout le temps, en fonction de l'arrivage et de ce qu'il parvient à acheter avec les deux sous qu'il a comme patrimoine. Parfois, il a des chaussettes ou des jouets pour les enfants. Alors je prends des trucs pour ma fille.

Ça doit faire un moment qu'il est là, à me regarder, en attendant que je me lève. C'est ce que je fais mais, honnêtement, je ne suis pas très motivée. Il porte des lunettes – épaisses comme un fond de bouteille –, il a un œil qui regarde à gauche, des cheveux d'une couleur inconnue, entre le brun et le rouge, et une haleine de cadavre.

Je me lève, ma main droite sur ma hanche pour m'aider à me redresser. Ça se voit que je n'en ai pas très envie mais je vais faire un effort. C'est un client régulier. C'est moi qu'il cherche toujours avant de se tourner vers Fouzia puis Hajar.

Je regarde dans sa direction et je souris. Je suis en train de partir, juste sur le point de le devancer pour qu'il me suive. Je tourne la tête vers Fouzia et je louche en tirant la langue pour imiter le roux. Juste pour qu'on rigole un peu. Lui ne voit rien parce qu'il est sur le côté opposé. Elle éclate de rire, et moi je souris en me retenant de m'esclaffer. Je le précède et je vais à l'immeuble.

On est devant chez moi. Ma fille est là. L'autre vieille de Mina n'a pas trouvé de meilleur jour qu'aujourd'hui pour aller au bled. Je la paie pour garder ma fille ou pour acheter des tickets de car, cette merdeuse ?

Samia nous regarde entrer, elle se lève de son matelas.

— Tu as dîné ? je demande.

— Non, pas encore, elle répond.

— Quand est-ce que Mina t'a ramenée ?

— Je ne sais pas. Il n'y a pas longtemps.

Derrière moi, Robio s'agite. Il faut que j'accélère.

— Va dehors. Robio a un truc à réparer, je dis à Samia.

Il est très rare qu'elle soit là quand je reçois des hommes mais quand c'est le cas, je dis que ce sont des réparateurs. De menuiseries, de télévision, de frigidaire, de vitres… de n'importe quoi.

Je ne sais pas ce qu'elle pense mais ce qui est sûr, c'est qu'elle grandit et que si ça continue, ça risque de me poser des problèmes.

— J'arrive, il n'en a pas pour longtemps, je continue en lui tendant son tabouret en bois pour qu'elle s'assoie et en faisant un signe de l'autre main au bigleux pour qu'il se prépare.

Je ferme la porte. Allez, sur le matelas. Baisser le caleçon, m'allonger sur le dos, lever ma jellaba. C'est un rapide. Ça va aller vite. Avec Samia dehors, je suis contente que ce soit lui et pas un autre. Le problème avec ce travail, c'est que tu ne sais jamais sur qui tu vas tomber. Ce n'est pas la peine que je rentre dans les détails ni que je te raconte tout ce que je vois. Mais ici, je rencontre ce que tu peux imaginer et ce que tu ne veux même pas concevoir.

Celui qui veut que tu l'engloutisses, et qui s'accroche à ta nuque comme s'il ne restait qu'elle sur terre. De l'océan déchaîné où il se débat, il t'étouffe dans sa chair flasque et veut que tu boives la tasse pour lui. Dans son naufrage, tu es un radeau. Ni chair ni sang ni foie. Ramené à terre, il te laisse sur la berge saumâtre – écumante et sale. Et la marée te reprend.

Un autre.

Celui-là est furieux. Il a besoin de vider sa vigueur d'un jet long et dur dans toutes celles qu'il rencontre. Ta croupe est son dû. Dans sa cavalcade de flic zélé, il rue, frappe et déchire ton épaule. Dans ces champs où il voit une foule qui l'acclame, ses mains te fouettent comme l'air que sa course soulève. Quand il a fini, son œil torve défie cette terre dont il est le maître. Mais lorsqu'il croise sa gloire poisseuse dans les tiens, l'illusion se transforme en haine. Alors il cogne parce qu'il n'est que lui. Torturé, ivre et seul.

Un autre encore.

Qui promène sa saleté de fille en piaule. Au latex, il préfère les traînées jaunâtres qu'il laisse, pour mieux les retrouver – encore chaudes – chez une autre. Dans le brouillard de l'alcool, tu les as refilées sans y consacrer une pensée. Mais dans la nuit qui s'en tape, quand tu les grattes jusqu'au sang, tu as peur. Et le matin lave tout, et tu passes à autre chose.

Quelques billets qu'une main incertaine défroisse.

Le gamin qui les tend veut laisser son innocence et ses joues qui en rougissent derrière la porte. Les histoires servies à ses copains ne suffisent plus à faire de lui un homme. Son torse qu'il peine à gonfler, ses lèvres tremblantes sous un presque duvet, sa langue que la peur assèche. Tu le regardes dans sa tentative de se ramasser. Tu veux lui dire que c'est un voyage sans retour. Mais tu te tais. Tu l'aides même un peu à glisser et à perdre cette paix qui l'encombre.

Tu les montes tous. Le minable, le frustré, l'esseulé, le fils de pute, le juste là.

Celui qui pointe l'ardeur de ta main pour sa joie faible et stérile.

Et celui dont aucun trou ne comble la haine. Qui ne s'apaise qu'au son déchiré d'une tache brune et sang.

Celui-là enfin qui rachète dans ton ventre son inutile sueur. Damné, il ne mangera jamais à sa faim alors il mord dans ta chair. Pour que ces dents – aujourd'hui au moins – lui servent à quelque chose. Et dans le râle de son haleine de soufre, il gicle son amertume sur ta joue et tes cheveux emmêlés.

Ici, tu rencontres celui qui chaque jour boit sa honte et qui – le soir venu – te fait vomir la tienne, dans des toilettes sales et l'excuse d'un vin frelaté.

Mais, au fond, tu te fous bien d'eux, de leur misère et de leur crasse. Parce que tu sais que c'est comme ça. Et que sur cette terre, chacun son lot.

Alors moi, dans la besace pourrie du sort, je me sens juste bénie quand j'en tire un rapide.

Comme ce Robio, qui me regarde en remontant son pantalon, qu'il avait à peine baissé, et qui dit :

— Qu'est-ce qu'elle avait à rire, ta pute de copine tout à l'heure ?

— Tu la connais, c'est une idiote, tu sais bien qu'elle rit pour rien, je lui réponds sur un ton détaché.

Il se contente de ça mais je sais que ça l'a énervé tout à l'heure. Quand il va repasser par là avec quelques verres dans le nez, ça va tourner au vinaigre entre eux.

Il ferme sa braguette et sort un billet de sa poche. Je me redresse, je remonte mon caleçon, baisse ma jellaba et le suis.

Ma fille est assise dos au mur. Elle attendait qu'on sorte pour se remettre à ses dessins animés.

— Merci d'être venu, je dis.

Robio me dévisage et finit par répondre, avec un sourire tordu :

— Quand tu veux.

Je fais un signe à Samia pour qu'elle rentre.

Ma fille est comme moi quand j'avais son âge. J'étais fine comme une gazelle avec des cheveux noirs et raides. Elle semble toute petite et menue dans ce couloir. J'ai envie de la prendre dans mes bras et de la manger. Mais j'ai encore l'odeur de l'autre sur le visage.

*

La nuit est tombée. J'ai fait dîner Samia – je lui ai préparé deux œufs à l'huile d'olive et au cumin – et je suis sortie. Quand je suis arrivée devant les escaliers, les filles n'étaient plus au marché.

Là, je les rejoins au Pommercy. Je suis à l'entrée et le rideau en fils verts et jaunes qui pendouillent est dégoûtant de saleté. La cochonne de gérante n'utilise pas de sanicroix* pour laver le sol et elle rince à peine les verres avant de les remettre sous le comptoir. Je te laisse imaginer l'état du rideau.

Putain, non ! Chaïba ! Chaïba est là ! Sa bouche géante se tord de rire derrière une bonne douzaine de Spéciale et un énorme bide. Je ne sais pas pourquoi j'ai envie d'y fourrer ma langue. Ce n'est pas qu'il soit beau ou quoi. Il me fait cet effet, c'est comme ça. Bouchaïb est le seul de tous ceux que je fréquente qui me fait cet effet et c'est le seul dont le surnom – Chaïba – a du goût dans ma bouche.

Mais je n'ai aucune envie de lui parler aujourd'hui. On s'est vus il y a à peine une semaine et il n'est pas question que je me retrouve encore embarquée dans une histoire où le cœur se met à parler.

Je me tourne lentement vers la porte pour ressortir, sans faire vibrer ma jellaba, sans bruit, en baissant la tête. Pourvu que personne ne me remarque, pourvu que personne ne me remarque, pourvu que personne ne me remarque…

— Jmiaa ! Ma beauté ! On ne t'a pas encore vue et tu nous quittes déjà ? il hurle de derrière sa table, dans ma direction.

Sa voix est tellement forte que de là où je suis, et même en lui donnant du dos, je vois les bières devant lui trembler. Je m'arrête. Je me tourne. Je fais un sourire jaune, jusqu'aux oreilles, et je dis comme si je ne l'avais pas vu avant :

— Chaïba ! Toi ici ?

— Viens par là, beauté. Je t'attends depuis midi. Tu étais où ?

— Par ici et par là, dans le monde. Où voudrais-tu que je sois ? je dis. Et toi, tu étais où ?

— Moi ? Rien de spécial. Allez, viens t'asseoir avec nous.

Il est attablé avec ses deux copains qui travaillent pour lui – Belaïd et Saïd. Je marche lentement vers eux, en contournant les tables et en poussant les chaises vides devant moi. J'arrive à son niveau, il se lève et il embrasse ma main en se courbant très bas, comme si on était dans un film. Il me serre dans ses bras tellement fort que ça me soulève et il demande une tournée pour la tablée.

Je prends une gorgée de bière de la bouteille qui est devant lui en attendant la mienne. J'aime bien la bière. Le rouge, c'est bien aussi, mais la bière, c'est mieux. Ça pétille dans la bouche, comme la limonade, et ça sent bon. Il y a Abdelhalim* en musique de fond.

On enfile les Spéciale les unes après les autres. Le bar commence à être plein. Je vois les filles, chacune avec son chacun, sauf Halima qui est au coin d'une table où tout le monde rigole, et elle, elle est assise avec le regard dans le vide, devant un Coca. Débile !

Chaïba commande des bières à mesure que les précédentes se vident. Il se penche vers moi et il me dit :

— Un voyage à Jdida*, ça te dit ?

*

Honnêtement, j'ai hésité avant de dire oui. Mais après tout, on n'a qu'une vie. À quoi ça sert de la remplir avec rien ?

Je suis assise à l'avant de la voiture, à côté de Bouchaïb et de son bide énorme. Belaïd et Saïd sont à l'arrière. Chaïba doit avoir une transaction importante pour les ramener tous les deux. Le bruit des portières qu'on claque résonne dans ma tête. Il n'y a personne dehors sauf deux clochards qui végètent au pied d'un arbre. C'est bizarre. Cette rue, je la connais bien mais c'est comme si je la voyais pour la première fois.

Les immeubles, gris et sales la journée, sont presque orange de la lumière des lampadaires. Les voitures stationnées dans le parking sont alignées silencieusement. Ni agitation, ni cris, ni voitures qui se disputent le passage, ni bicyclette qui manque de te renverser. Il n'y a pas de clochard à moitié dans la poubelle, pas de mères de famille qui marchandent le poisson auprès de vendeurs ambulants, personne qui vende de fruits, pas d'enfants qui rentrent de l'école et qui s'arrêtent pour un Danone. Il n'y a pas non plus de marchands de pépites ou de matelas ou de dés à coudre. Il n'y a rien. Il n'y a qu'un chat qui traverse en prenant son temps, sans peur de se faire arracher la queue.

Je boucle ma ceinture. Bouchaïb tire dessus pour s'assurer qu'elle est bien fermée et il attrape mon sein au passage en continuant de me regarder avec le sourire de quelqu'un qui a très faim et devant lequel on a posé un mouton rôti, enduit de beurre et saupoudré de cumin. Il soulève son sourcil gauche, fait un petit mouvement de la tête vers le bas, en direction de son engin qui est tout gonflé.

Je me marre et mets ma main gauche sur son dossier, en me calant bien sur mon siège. Devant moi, la route est dégagée.

À mon poignet, mes bracelets en or se cognent l'un contre l'autre. Ils caressent ma main et me chatouillent entre les cuisses.

— Allez, *anafa** ! dit Bouchaïb en passant la première.

Je refais tinter mes bracelets et la bouche aussi ouverte qu'un portefeuille béant – comme dirait Samira – je répète après lui :

— *Anafa !*

Ses acolytes sont affalés sur le siège, ils rigolent et on démarre en trombe.

Je ne sais pas pourquoi on se marre mais moi, je n'arrive pas à arrêter ce rire qui vient de mon ventre. Il est chaud, gras, il prend toute la place, comme mes bras, comme mon ventre, comme mes seins, comme moi sur le siège. J'ai l'impression d'enfler, de remplir l'habitacle.

— Tu es contente, ma beauté ?

Bouchaïb me sourit encore de sa bouche qui n'en finit pas.

— Qu'est-ce qui te fait dire ça ? je réponds en grimaçant.

Je ne supporte pas quand il s'aime. Il ne me répond pas – probablement parce qu'il n'est pas d'humeur à argumenter – et se tourne vers Saïd en lui disant :

— Passe les Spéciale.

Saïd se baisse vers un sac en toile grise à ses pieds et tend une bière à Bouchaïb.

— Et celle-là, elle n'est pas assez bien pour en avoir une ? il lui demande en me montrant de la tête.

Saïd se rebaisse et il me donne une bière. Je la prends et je sors les Marvel de mon sein. Le paquet est un peu chiffonné. Je prends une cigarette, la défroisse et l'allume.

On roule vite sur la côtière, la musique à

fond. Je ne sais pas depuis quand je n'ai pas fait une sortie comme celle-là. Ça doit faire longtemps ou alors je suis trop saoule pour m'en souvenir.

Chaïba s'arrête à une station d'essence pour acheter des cigarettes. Il laisse l'autoradio allumé avec la cassette qui tourne. C'est Lhajja Hamdaouia*. Je reste dans la voiture et ses copains descendent pour pisser, en rigolant et en chantant comme des dingues. Ils défont leurs ceintures tout en bougeant leurs derrières au rythme de la musique.

— Arrête, tu m'asperges, dit Saïd.

— *Ba Lahcen bechouia, ha aha bechouia**, l'ignore Belaïd en se déhanchant en rythme avec la musique, les bras à l'horizontale.

Son ver libre bouge comme lui de droite à gauche et d'avant en arrière. Du coup, il en met partout. Sur son pantalon, sur Saïd qui gueule et un peu sur les herbes hautes devant eux. Bouchaïb revient et s'aligne avec eux. Il a une cigarette qui tient seule sur ses lèvres.

Au moment de tirer sa bouffée, il a les sourcils froncés, les lèvres gonflées vers l'avant, la cigarette qui pend légèrement sur la gauche et la bouche un peu tordue vers la droite. Sa nuque est raide, tendant vers l'arrière.

— Qu'est-ce que tu as Chaïba ? Tu ne supportes plus ta vie ? lui dit Belaïd en l'imitant.

— Quel âne ! répond Bouchaïb en faisant faire une rotation à son corps comme s'il allait l'arroser.

Saïd les distrait :

— On parie que je touche cette pierre ?

Et ils visent tous les trois la grosse pierre en face d'eux. Belaïd essaie mais il n'en a plus alors il remonte son pantalon et il fait « *Tfou !* » en envoyant un gros crachat sur la pierre. « Vous sauriez viser comme ça ? »

Touché ! Ils crachent tous les trois en direction de la pierre. Je tape des mains en suivant la musique pour les encourager.

Notre vacarme rend la station encore plus déserte. Mais les deux uniques clients qui boivent leur café à une table, en fumant une clope sous la lumière sale, ils s'en tapent. Ils tournent la tête vers nous en continuant à tirer sur leurs cigarettes sans parler. Ni entre eux ni pour nous dire de la fermer.

Le calme de cette vision déteint d'un coup sur nous et on reprend la route.

On arrive assez vite à Jdida. Il est tard. On longe la corniche. On dépasse quelques croisements, on tourne dans des rues qui se ressemblent toutes et on s'arrête au pied d'une maison. Un type dont je ne vois que la silhouette descend et nous donne les clés de l'appartement dans lequel on va dormir.

J'ai sommeil. J'ai beaucoup bu. Bouchaïb et moi, on fait un truc qui ressemble à de la baise. C'est vague. C'est mou. Il finit par y arriver. À la bonne heure.

Là, il ronfle la bouche grande ouverte,

allongé sur son dos, tout habillé avec son ventre qui monte au ciel.

Moi, j'ai la tête qui tourne, le plafond se rapproche, s'éloigne, devient flou. Je crois que je vais vomir.

Samedi 19

C'est le matin déjà. Je suis complètement dans les vapeurs. J'ai pris mon petit déjeuner dans un café au bout de la rue où on a dormi. J'ai mangé seule. Je ne sais pas où sont partis les autres. Travailler sûrement.

Avant de descendre, j'ai appelé Samira pour lui dire de jeter un œil sur Samia. Je ne fais pas trop confiance à Halima.

Aujourd'hui, le soleil est un peu froid. Même si c'est l'été. Il ne doit pas être trop tard. Il y a encore de la brume et peu de gens qui se promènent. Je suis assise sur un muret blanc qui longe la plage. Je tourne le dos à la mer parce que toute cette eau, ça me donne le tournis.

C'est comme ça depuis la première fois que j'y ai été. C'était il y a longtemps. J'avais une vingtaine d'années et je venais d'arriver à Casa. J'étais belle ! Fraîche comme une rose, faut pas croire. Là, tu me vois comme ça un peu fatiguée, mais il fallait me voir dans ma jeunesse. J'avais de grands yeux, des cils longs. Mon œil était luisant, doux, profond comme un puits. Et noir. Dans mon quartier, on disait que j'avais les yeux d'une vache tellement ils étaient beaux. Et mes cheveux étaient fournis, comme la queue d'un cheval. Et ma poitrine montait au ciel tellement elle était fière. Il ne faut pas croire.

À cette époque, mon mari était encore là et c'est lui qui m'y avait emmenée. C'était à Aïn Diab*, je m'en souviens très bien. C'était un dimanche et on en était au tout début de notre mariage.

C'était la première fois que je voyais quelque chose d'aussi grand et dégagé. Même les champs, ce n'est pas comme ça. Il y a toujours des collines ou un arbre ou une écurie qui te bloquent la vue. Là, c'était gigantesque et en voyant la ligne où le ciel et la mer se touchent, j'ai pensé sur le coup que c'était par là-bas qu'on montait au ciel pour aller au paradis.

Mon mari a ri de moi pendant longtemps, chaque fois qu'il voulait m'emmener à la plage, il se tournait vers moi : « Hé, Jmiaa, un petit tour au paradis, ça te dit ? »

Quand il m'y a emmenée, dès que mes pieds ont touché la mer, je ne sais pas ce qui m'a pris. Je me suis mise à courir, courir, courir sur le sable comme un cheval. C'était comme si on m'avait allumé un brasier sous les pieds. Quand je me suis arrêtée et que j'ai levé la tête, le monde tournait. J'ai eu la peur de ma vie parce que je ne savais pas si ça allait s'arrêter ou pas. Ça tournait tellement que je suis tombée, en plein sur ma croupe de jument. Je n'étais pas grosse comme maintenant. J'étais juste ronde et ferme. Mon mari n'arrivait pas à s'arrêter de rire.

Depuis ce jour, j'ai toujours le vertige quand je reste trop longtemps face la mer.

Et ce petit déjeuner que j'ai pris, je ne suis pas sûre que ce soit une bonne idée. J'ai des aigreurs.

*Choufi ghirou, a la'zara 'ata Allah, choufi ghirou**. Mon téléphone sonne !

C'est Chaïba :

— Allô, t'es où ?

— Juste là. Et toi, tu es où ? je fais en prenant la voix de celle qui est juste là.

— Je t'attends à l'appartement. Viens.

J'arrive à l'appartement. Bouchaïb y est déjà, sans les autres. Je n'en ai aucune envie tout de suite, surtout avec ce tournis, mais j'aime bien Chaïba. Je m'approche de lui avec un grand sourire en lui demandant :

— Ça te démange par là-bas ? et je caresse la bosse dans son pantalon.

Je ne te dis pas, ce n'est pas une bosse qu'il a, c'est une montagne. On va vers la chambre.

Ce matin, je n'avais pas remarqué que le couloir était vert.

Bouchaïb m'attrape la poitrine. Moi, je sais que c'est ce qu'il aime le plus chez moi. Avec mes fesses. Je monte sur la pointe des pieds et je presse bien fort mes seins contre son torse. Ma main ouvre sa chemise. Ses poils glissent entre mes doigts. Ça aussi, il aime. Je vais même tirer un peu dessus.

Sous sa moustache, son sourire monte jusqu'aux oreilles. Il est déjà bien allumé. « Je t'ai manqué, hein ? », il dit.

Et il ajoute :

— De tous les pédés que tu croises, il n'y en a aucun qui te baise comme moi. Dis ?

Il parle en même temps qu'il me tète le visage de ses lèvres qui me paraissent énormes maintenant. S'il continue, il va finir par me manger. Je vais disparaître dans ce gouffre à l'endroit où les dents pourries sont tombées.

— Et leurs bites, comment elles sont ?

Il m'entraîne vers le lit. De tout son poids, il s'écrase sur moi. Son ventre et le mien, ça en fait de la graisse. Bouchaïb aime m'étaler comme une couverture pour s'étendre sur moi. Il a de la chance que j'aie de quoi faire. Mais ce n'est pas désagréable. Ses grosses palmes soulèvent ma jellaba, montent le long de mon caleçon en pressant fort mes cuisses. Il le baisse, ouvre à peine son pantalon, en sort son engin et s'introduit en se tortillant pour la rentrer.

— C'est ce que tu voulais ? Il t'a manqué ce manche, dis ?

Putain, pourquoi il n'arrête pas de dire « dis », ce con ? Qu'est-ce qu'il veut que je lui dise ? La tienne, c'est la plus grosse, la plus sucrée et la plus mielleuse, c'est ça ? Mais qu'est-ce qu'ils ont tous avec leur bite ?

Il bouge de plus en plus vite. Ses mains ne savent plus quoi attraper. Mes seins, mon cul, mon ventre, mon menton et mes lèvres.

La vieille Mina m'a dit l'autre jour : « On ne te paie pas pour comprendre. Retiens une chose : à bite éveillée, esprit embrumé. » Et elle a raison. Il veut que je lui dise que c'est le meilleur ? Pas de problème.

Mais en fait, Bouchaïb n'aime pas que je lui réponde. Il aime que je fasse des bruits. Au lieu de parler, je vais faire le bruit de la vache qui met bas. C'est celui qu'il préfère.

— Mmmmmmoooh.

— Han han han, il répond.

Bouchaïb vient de braire. Il est content et je vois toutes ses dents. Il est étendu sur le lit et moi à ses côtés. Le plafond est blanc et les draps sous mes mains sont froissés et rigides.

Ma jellaba remontée fait un coussin pour le haut de mes fesses. Je tire le caleçon qui est bloqué sous mes genoux, pendant que lui est encore à regarder l'ampoule qui pend du plafond, la bouche ouverte.

Je ne sais jamais quoi faire quand je finis avec Chaïba. Si je me lève, j'ai peur que ça lui rappelle que je fais ça à longueur de journée. Si je parle, je casse l'ambiance.

Il prend son téléphone et compose un numéro. Ça sonne.

— Allô Saïd ? Passe me prendre. Je t'attends à l'appartement.

Il a réglé mon problème sans le savoir. Je peux me lever.

*

Saïd et Belaïd sont passés nous prendre et on est maintenant dans un bar dans lequel je suis déjà venue plusieurs fois. À chaque fois avec Bouchaïb. C'est à la sortie de Jdida. Il y a une terrasse aussi grande que la mer qui nous fait face et en fin de journée, le soleil se couche pile en face du bar. Comme si tu l'avais commandé lui aussi.

À part ça, les tables et les chaises sont ordinaires. Bouchaïb s'assoit toujours au même endroit. Au coin, à gauche de l'entrée, dans un espace où il y a juste la place pour une grande table ronde. Entre le bar en bois et les énormes fenêtres, aux cadres bleus, ouvertes sur la mer. Toute la décoration vient de chez les pêcheurs. Pour te dire qu'on est à la plage. Genre. Moi je ne vois pas en quoi des morceaux de barque et de filets sont de la décoration mais si c'est le trip du patron, pourquoi pas ?

Chaïba a rendez-vous avec des gens pour ses affaires. Dès qu'on est arrivés, le patron l'a reconnu et est venu vers nous :

— Bouchaïb, ça faisait longtemps qu'on ne t'avait pas vu ! il lui a dit en lui faisant une bise aussi grosse qu'une pelle. Tout va bien ? La famille va bien ? Les enfants vont bien ? Tu es le bienvenu chez nous, en lui mettant une main derrière le dos et en ouvrant l'autre vers la salle pour l'accueillir.

Pendant qu'il lui parlait, il n'a pas regardé un seul instant de notre côté. Il a fait comme si

Saïd, Belaïd et moi, on n'était pas là. Je m'en fous. Et d'ailleurs, moi aussi j'ai fait semblant de ne pas le voir. J'ai allumé une cigarette et j'ai attendu qu'ils finissent les salutations pour que le patron nous emmène à notre table.

Depuis tout à l'heure, je tape des bières. L'une après l'autre. Je ne sais pas à combien j'en suis. Le soleil s'est couché depuis un moment déjà.

Bouchaïb est posé avec un gars en jellaba marron qui cherche à lui vendre une terre pas très nette côté titres de propriété. Ils négocient le prix, je crois.

Belaïd et Saïd parlent entre eux. Depuis le temps qu'ils traînent ensemble, Dieu seul sait ce qu'ils ont encore à se dire.

Un tas de gens entrent et sortent du bar. Il y a quelques têtes que j'ai déjà vues. Depuis qu'on est arrivés, je n'ai parlé à personne. Je suis fatiguée. Je n'ai qu'une envie : qu'ils finissent et qu'on se casse.

Et en attendant, j'enfile les tapas, les Marvel et les Spéciale. Mais malgré tout ce que j'ai mangé pour caler, la tête me tourne. J'ai abusé sur la picole ces derniers temps. Ça doit faire trois semaines que je n'ai pas été sobre.

Je vois Bouchaïb mais je n'arrive pas à entendre ce qu'il dit.

Il fait de grands mouvements avec ses bras. Sa bouche s'ouvre quand il parle. Il rit en se tenant le ventre. Il tape sur l'épaule de l'agent immobilier à côté de lui. Mais c'est comme dans un rêve.

Tout est flou. Je veux rentrer. J'ai envie d'être chez moi. De me poser sur mon matelas et regarder la télévision jusqu'à ce que le sommeil me prenne. J'en ai marre de tous ces gens.

*

On est partis. Aucun de nous ne parle. On sort de Jdida. On passe devant le barrage de police, sur la route de Casablanca. Un flic nous fait signe de nous ranger sur le bas-côté. Fait chier.

J'éteins ma cigarette. Je prends l'air intimidée. Ils aiment quand tu as peur.

L'uniforme se penche en pointant sa torche à l'intérieur pour évaluer combien il peut gratter. Trois hommes, une pute. Ça sent l'alcool à plein nez. C'est bon, sa gamelle est assurée.

— Les papiers de la voiture, il dit en faisant la tronche.

Comme si tu avais besoin de tirer la gueule pour faire peur, connard !

Saïd se penche au-dessus des genoux de Bouchaïb pour ouvrir la boîte à gants. Il en sort une pochette en cuir noir et la tend au policier avec un grand sourire. Tout en la lui donnant, il lui demande comment il va. L'autre ne répond pas. Il prend les papiers, lui tourne le dos et avance. Ça va chiffrer.

Saïd attend que le flic s'éloigne un peu et descend de la voiture pour le rejoindre.

Je n'ai pas besoin de voir la scène pour te la décrire.

Le flic regarde les papiers du véhicule, le permis rose bien ouvert entre ses doigts. Il sort son bloc-notes et rédige une contravention. Saïd le rejoint. Ils discutent. Le flic tourne la tête vers les autres voitures qu'il a arrêtées plus loin et qui l'attendent elles aussi. Il décide subitement d'aller les voir.

Saïd attend, seul sur le bas-côté, comme un prétendant éconduit. Finalement, le flic revient, en marchant lentement. Il ne dit rien et fait toujours la gueule. Saïd lui dit quelque chose en riant. Le flic fait la vierge, une esquisse de sourire aux lèvres.

Saïd déploie son charme. Il parle, en faisant danser ses mains dans les airs. La vierge le regarde, l'encourage mais ne cède pas. Saïd prend de l'assurance. Il parle plus fort, son rire se fait franc. La vierge se détend. Saïd y est presque. Il accélère encore. Doucereux mais volontaire. Elle aime ça. Ça y est. Elle consent.

Ils s'effleurent d'abord, leurs mains se touchent puis ils consomment l'acte.

En coulisses, aucun youyou ne résonne. Tout le monde savait la vierge recousue.

Mais au moins, maintenant, on peut rentrer chez nous.

On roule vite. On est tous pressés d'arriver. Je ne vois rien par la fenêtre mais on va vite. Tout est noir et rien n'a de contour. Si je ne le savais pas, je ne pourrais pas te dire dans quel sens on roule.

On est déjà arrivés. Peut-être me suis-je endormie. Je ne sais pas.

Saïd arrête la voiture au coin de la rue. Il y a du monde dehors et le vendeur de pépites est encore ouvert. Il n'est pas encore minuit.

Moi, je n'ai pas la force de faire quoi que ce soit ce soir. Ni de parler à qui que ce soit. Ni même de regarder la télévision finalement.

— Il te faut quelque chose ? me demande Bouchaïb pour savoir si j'ai besoin d'argent.

— Non, ça ira, je dis en ouvrant la portière et en posant ma sandale sur le trottoir.

Je veux juste rentrer.

— Ciao.

Ils ne répondent pas. Qu'ils aillent se faire foutre.

Si j'ai un peu de chance, la religieuse et Samia seront en train de dormir. Et moi aussi je vais me coucher. Je n'ai rien de mieux à faire à cette heure.

JUILLET

Dimanche 11

Aujourd'hui, c'est la finale de la Coupe du monde. Espagne contre Pays-Bas. Ils sont en train de jouer à l'instant où je te parle. Moi, à vrai dire, je m'en fous mais je le sais parce que la rue est vide. Tous les hommes du quartier sont au café et depuis ce matin, je n'ai pas beaucoup travaillé pour un dimanche. Tout leur esprit est au foot et il ne reste rien pour sous la ceinture.

On entendrait le vent parler tellement la rue est vide. C'est comme dans les films de western qu'ils passaient à la télé quand on était petits. Le gardien de voitures a même abandonné son tabouret et son plateau à thé sur le trottoir.

Pour le moment, personne n'a marqué de but. Et même si je ne regarde pas le foot, je le sais.

Quand ils marquent un but, tu ne peux pas le rater. Il y a toujours un moment – tu ne sais pas d'où ça vient, mais c'est tellement fort que tu as l'impression que c'est dans ta poitrine –, tu entends : *Ilyeh*! Ilyeh !* Et tu vois les cafés se déverser sur les trottoirs et les hommes qui se sautent dessus et s'enlacent.

En général, quand il y a un match, j'aime bien être dans la rue. Je me mets sur l'escalier au croisement et je m'assois. Dans les cafés, les hommes regardent le foot, et moi je les regarde. À chacun son spectacle.

Là, je n'en ai pas envie. Et je n'avais pas non plus envie de rester dans la chambre avec l'autre Halima et son air pathétique, genre voyez comme je suis malheureuse et sérieuse. Va te faire foutre !

Je vais aller me poser avec Hamid. Je sais qu'il va être seul. Le match n'est diffusé ni sur Al Aoula ni sur 2M. Ça coûte trop cher, ils ont dit. Et ses copains, entre le foot et Hamid je sais qu'ils ne vont pas hésiter longtemps. Les blagues qu'il passe son temps à leur raconter ont beau être épicées, aucune n'aura la saveur d'une finale de Coupe du monde. Amitié à deux balles !

Avant de descendre, j'ai enfilé quelques verres. Ce naze de Hamid n'a que du thé.

De loin, je le vois allongé dans sa cabane en bois à l'entrée du garage. Le rideau de douche qui lui sert de porte est accroché au clou qui le maintient ouvert.

Hamid est allongé sous sa couverture violette et grise, en train de se saouler à la télé. Une théière brûlante est posée sur le plateau en métal devant lui.

— Tu ne vas te décider à réparer cette table que le jour où tu vas te cramer ? je lui dis en guise de bonjour.

Le plateau est en équilibre sur une petite table ronde à trois pieds dont l'un est rafistolé avec du fil de fer.

— *Salam,* tu prendras du thé ? il me répond en me montrant du doigt un verre sur l'étagère à côté de l'écran.

Il a plusieurs verres et pas deux ne se ressemblent. J'en prends un au hasard et je me retourne pour tirer une des chaises qui sont à l'entrée de la cabane, celles sur lesquelles s'assoient ses copains quand ils glandent.

— Alors, qu'est-ce que tu racontes ? il me demande en se redressant pour s'asseoir.

— Normal. Rien de spécial, je réponds en allumant une cigarette.

Je ne lui propose pas de cigarette mais je pose le paquet sur la table. Mais il n'aime pas trop les clopes. Lui, il préfère tirer de temps en temps des bouffées du joint de son copain, le blond aux yeux bleus. Il n'aime pas que je fume à l'intérieur mais moi, je fais toujours semblant d'avoir oublié. Parce que je n'aime pas qu'il se la joue avec moi comme si on était posés dans un palais. Sa baraque est ouverte à tous les vents, il a un rideau de douche à la place de la porte, et moi je ne fumerais pas ?

Les images à la télévision défilent. Le thé est mielleux comme je l'aime. On ne parle pas. C'est souvent comme ça avec lui et c'est ce que j'aime bien. Parfois on rigole et on s'amuse et d'autres fois, on n'a rien à dire et on se la ferme.

— Ça tombe bien que tu sois venue, il me dit sans détacher ses yeux de l'écran, ça fait un moment que je voulais te chercher pour te parler.

— Me voilà.

Dans la rue, une voiture rouge passe. Elle est silencieuse, comme tout ce qui l'entoure.

— L'autre jour, une dame qui habite ici, juste dans l'immeuble au coin – tu ne sauras pas qui c'est même si je te la décris –, est venue me parler. Elle est petite et grosse et a les cheveux bouclés. C'est la propriétaire de la Honda, il me dit en montrant une voiture bleue garée en face de nous.

— Hum…

— Je la connais. On discute de temps en temps tous les deux. Tu sais comment je suis, j'aime bien connaître les gens. C'est une dame bien. Son mari travaille dans la mode. Il est passé à la télé l'autre jour. Bon, je n'ai pas trop compris ce qu'elle veut mais elle a une nièce qui travaille dans un journal, ou pour la télé en Hollande et elle voulait savoir si je connaissais une des filles du marché parce qu'elle veut la rencontrer.

— Pour quoi faire ? je dis en me tournant vers lui.

Il porte le thé à sa bouche et regarde à nouveau droit devant lui.

— Je ne sais pas. Je crois que c'est pour faire une interview ou quelque chose comme ça. Je ne sais pas exactement. Mais elle m'a dit que sa nièce était prête à payer quelque chose rien que pour parler.

— C'est pour faire quelque chose en Hollande ou ici ? je lui demande.

— Je ne sais pas.

— Et alors ?

— Et alors quoi ? il répond.

— Alors qu'est-ce que tu as dit ?

— J'ai dit que j'allais voir, qu'est-ce que tu veux que je lui dise ? il répond en jetant sa couverture à ses pieds d'un geste souple et sec à la fois – comme une langue de caméléon – et en se levant pour aller aux toilettes.

Pourquoi cette dame voudrait me voir ? Bon, si c'était pour la télévision ici, j'aurais pu deviner pour quelle émission elle travaille. Je sais tout ce qui se passe sur 2M et sur Al Aoula. Il n'y a pas un programme que je rate, pas un reportage qui me passe sous le nez et là où je suis professionnelle, c'est les séries. Alors là, je les maîtrise toutes.

— Comme j'avais oublié de t'en parler, elle m'a redemandé hier ou avant-hier, il a crié depuis la salle d'eau.

Je peux te dire qui a joué où et quand et le nom de la première belle-mère du héros dans l'histoire. Mais si c'est pour la Hollande, je n'ai aucun moyen de savoir ce qu'elle veut.

Hamid est revenu. Il est debout à la porte avec la moitié du rideau de douche beige sur la tête. Il essuie ses mains sur son jean. Je lui demande :

— Qu'est-ce que tu en penses ?

— Je n'en sais rien mais il y a peut-être un peu d'argent à se faire, non ?

— C'est pour un journal ou pour la télévision ?

Ça me donne mal à la tête de ne pas savoir ce qu'elle veut.

— Je t'ai dit que je n'en sais rien mais tu sais quoi ? je vais lui demander et je te dirai ce qu'il en est, OK? il répond en remettant les mains dans ses poches.

Mercredi 14

Depuis cette conversation avec Hamid l'autre jour, il ne s'est rien passé de spécial. Avant-hier, j'ai essayé de lui parler pour avoir des nouvelles mais il ne m'a pas répondu, cet âne. Et hier encore, je suis passée devant le garage. Il était avec des gens et il a fait semblant de ne pas me voir quand je lui ai fait signe de l'autre côté du trottoir.

Alors que j'avais trouvé une solution pour lui rendre service et faire son interview à la noix sans qu'on me reconnaisse, ce con.

Je me suis dit que si cette fille travaillait pour la télévision, je leur demanderais de mettre un carré qui brouille le visage. Pour que les gens ne me reconnaissent pas. Comme dans Moukhtafoune*.

Par contre si c'est un journal ou un bouquin, ça ne m'intéresse pas. Je n'aime pas la lecture. Tu prends un livre, tu te casses le cul à déchiffrer, tu dois imaginer, tu n'entends pas les voix des personnages, tu ne sais pas s'ils sont beaux ou pas. À vrai dire, je n'en ai jamais lu mais je sais que c'est une galère.

Tu vois, je me suis cassé la tête à réfléchir et lui, il fuit comme ça.

Je n'ai pas essayé de le rappeler. Qu'il aille se faire foutre ! Et l'autre Hollandaise aussi d'ailleurs. S'ils me veulent, qu'ils viennent me chercher.

Heureusement que je n'en ai parlé à personne. Imagine si j'avais dit aux filles que j'allais donner une interview et tout ça, et qu'après il se soit avéré que c'est juste Hamid qui a tiré une taffe de trop sur le joint de son play-boy de copain ?

J'étais à deux doigts de le raconter à l'autre Halima qui me squatte encore. Et à propos, je sais comment elle a atterri ici. Je te l'avais dit que ce n'était qu'une question de temps.

L'autre jour, je suis rentrée à la maison avec ma fille. C'était un lundi soir et on revenait du bain. Je m'en souviens très bien. Halima n'avait pas entendu mes pas dans le couloir.

Bon, ça ne m'étonne pas avec le bruit qu'il y a

ici. Les voisins, l'eau, le chien de l'immeuble d'en face qui n'arrête pas de gémir. Avec ce boucan, tu n'entendrais pas ce qui se passe dans ta tête.

Et je ne parle même pas de la femme du concierge de l'immeuble qui donne sur l'avenue Hassan-II. Elle, elle a raté sa vocation. Elle aurait dû être muezzin tellement sa voix est forte. Ils s'engueulent tellement elle et son mari que dans le quartier, on suit leur histoire comme on suivait Guadalupe quand le feuilleton venait de sortir.

La voilà qui ne supporte plus que sa belle-sœur vienne les voir. Le voilà qui cherche son pantalon bleu et qui le trouve encore à l'étendage. La voilà partie chez sa mère, le voilà qui est allé la chercher. Ils n'en finissent pas.

Ce soir-là, il y avait en plus Rabia en train de parler au téléphone avec sa sœur qui est mariée en Italie et à chaque fois, elle crie parce qu'elle n'entend pas bien. Elle dit que le réseau est mauvais.

Moi, si tu veux mon avis, je pense que le réseau n'a rien à voir là-dedans, même si c'est vrai qu'il est merdique. Rabia est sourde et il n'y a qu'elle qui ne s'en rende pas compte, c'est ça la vérité.

Bref, je m'oublie. Quand on a franchi la porte Samia et moi, Halima a eu un geste brusque et j'ai cru voir qu'elle avait caché quelque chose sous le coussin derrière elle. Moi, je n'ai pas l'habitude de me taire quand il y a quelque chose de pas net. En plus, elle est chez moi, alors il faut que je sache ce qui s'y passe, non ?

— Qu'est-ce que tu as caché là-bas ? je lui ai dit en tournant mes yeux en direction du coussin.

J'ai tout de suite pensé qu'elle avait pris quelque chose de mon placard.

— Rien. Je regarde la télévision.

L'écran était allumé et ils passaient Men Dar Ldar*. Ce feuilleton qui fait un tabac avec ses histoires de bonnes, d'hypocrisie et de misères. Moi, je ne l'aime pas. J'aime les feuilletons mexicains ou turcs ou même brésiliens. Je regarde les feuilletons marocains, comme tout le monde, mais ce ne sont pas ceux que je préfère.

Halima adore. Et comme je sais qu'elle suit tous les épisodes de la vie de ces misérables avec intérêt, j'ai douté de moi et j'ai pensé que mes yeux m'avaient trompée. « Peut-être qu'elle était vraiment en train de regarder la télé ? » j'ai pensé. Mais le doute a persisté et comme elle avait un peu trop une tête d'innocente, j'ai poussé ses fesses avec mes mains et j'ai cherché sous le coussin qui était derrière elle.

Là, j'ai trouvé une photo d'elle avec deux garçons. Ils étaient assis dans un salon au tissu violet et un grand miroir derrière eux et ils riaient. Les deux garçons portaient la même tenue. Un pantalon noir et une chemise à carreaux rouge. Ils avaient l'air d'avoir le même âge, celui de ma fille. Quand j'ai vu la photo, j'ai levé la tête vers elle.

— Ce sont tes fils ?

— Oui, elle a soupiré. Des jumeaux.

Et sa poitrine s'est soulevée bruyamment, dans un grand souffle.

— Et ça, c'est chez toi ? j'ai ajouté.

J'avais remarqué qu'elle aimait le violet mais je ne pensais pas qu'elle en étalerait sur tout son salon. Elle n'a pas très bon goût, de toute façon. Ça se voit rien qu'aux couleurs de ses jellabas. Une vert d'eau et une mauve. Ce sont des couleurs ça ? Elle ne porte jamais de motifs. Et tu verrais ses cheveux ! Ils sont dans un état ! Elle ne les soigne jamais. Même au bain. Elle ne met ni ghassoul*, ni henné, ni rien.

— Oui , elle a re-soupiré.

Et d'un coup, elle s'est mise à pleurer, pleurer, pleurer. C'était comme le fleuve en crue. Je n'avais jamais vu ça. Même à la mort de mon père, personne n'a pleuré comme ça. Ce n'est pas mon genre de ne rien trouver à dire mais là, c'était trop. Je me suis assise et je suis restée à côté d'elle pour voir si elle allait finir d'elle-même ou pas.

— Va lui chercher de l'eau au lieu de la regarder comme ça, j'ai dit à ma fille.

Elle est partie en courant dans le coin cuisine, la pauvre. De là où j'étais, je la voyais prendre le bidon de cinq litres et verser l'eau dans le verre. Comme le bidon était lourd pour elle, ses bras tremblaient. Malgré ça, elle n'en a pas fait tomber une seule goutte sur le sol.

— J'ai appelé chez moi aujourd'hui, et je suis

tombée sur mon fils, a dit Halima en sanglotant. J'ai à peine eu le temps d'être contente de l'entendre, il m'a reconnue et il a raccroché.

— Il ne te parle plus ? j'ai demandé.

Elle a tourné sa tête de droite à gauche pour dire non. Ses cheveux dépassaient de son foulard sur son front et son nez avait rougi et enflé. Elle serrait ses mains l'une contre l'autre et ses doigts étaient tellement contractés que le sang ne les irriguait plus. Ils étaient entre le blanc et le bleu.

— Ça fait plus de deux ans que je ne leur ai pas parlé. Leur père le leur interdit. Et lui, en me montrant celui de gauche, ne veut pas entendre parler de moi.

Et elle a enchaîné un « merci » en prenant le verre d'eau que lui a tendu ma fille avant d'aller s'asseoir sur le matelas sous la fenêtre.

De là où elle était, Samia pouvait voir la télé dans laquelle une semsara* venait de ramener une nouvelle bonne chez une bourgeoise à deux balles. Halima pleurait encore. Moi je ne disais rien. Et de la même façon qu'elle avait pleuré tout à l'heure, en un flot qui n'en finissait pas, elle s'est mise à parler.

« Avant, j'avais un mari, des enfants, un travail, une vie normale, quoi. J'étais employée dans une société et j'aimais bien mon travail. J'y passais beaucoup de temps. Pendant la pause déjeuner, je me connectais sur Internet pour parler avec des amies. Un jour, j'ai reçu un message de quelqu'un que je ne connaissais pas. Un homme. Il m'a dit qu'il m'avait aperçue en sortant du travail et qu'il s'était renseigné sur moi. Il a appris que je gérais les commandes des clients et il a appelé la standardiste pour avoir mon e-mail. Il m'a noyée sous les compliments, jour après jour. Au début, je ne répondais pas mais il a tellement insisté que j'ai commencé à lui écrire moi aussi.

« Ça a duré tout l'été et à la fin, j'avais le cœur qui battait quand je trouvais un de ses e-mails. De temps en temps, je me disais que je ne devais pas me comporter comme ça, que j'étais mariée. Il m'est même arrivé de décider d'arrêter de lui parler mais il m'envoyait des photos de fleurs, des vidéos de Amr Diab*, parce qu'il savait que j'aimais ça. Alors je lui répondais et ça repartait.

« Si j'avais su... Plus le temps passait et moins j'arrivais à me passer de lui. Il m'a dit qu'il s'appelait Taoufik. Quand on s'écrivait, il me demandait de décrire ce que je faisais, ce que je portais, comment j'étais habillée... On ne s'était encore jamais rencontrés.

« Un jour, il m'a donné rendez-vous pour qu'on puisse se voir sur Internet. On s'est retrouvés un samedi car mon mari sortait les enfants pour aller jouer au foot. Ce jour-là, je me suis connectée et on a commencé à parler. J'ai mis ma caméra en marche. Lui m'a dit que la sienne avait un problème, qu'elle ne marchait pas ce jour-là. Il m'a dit que j'étais magnifique et une chose en entraînant une autre, c'est devenu intime. »

Du visage de Halima, je ne voyais que des larmes, du kleenex et un bout de son nez qui coulait. Pendant qu'elle parlait, je poussais les mouchoirs dans sa direction pour qu'elle en prenne. Son histoire était intéressante mais pas au point que je la regarde dégouliner de morve sur mes coussins sans rien faire. Et pour me concentrer tranquillement, j'ai demandé à Samia – qui avait délaissé la télé depuis un moment et qui écoutait la bouche ouverte – d'aller acheter du pain à l'épicerie.

« À un moment et je ne sais pas comment c'est arrivé, j'ai fait des choses un peu osées. Ce n'est pas la peine que je te donne de détails. On a fait ça deux semaines de suite. J'attendais avec impatience le samedi. Lui, je ne l'avais pas encore vu. Quand je lui demandais d'arranger sa caméra, il me disait que lui ne représentait aucun intérêt face à moi. Il savait tellement parler qu'il t'aurait fait croire qu'il t'appelait du paradis, Dieu me pardonne. »

Halima avait arrêté de pleurer. Moi, comme je sais de quoi les hommes sont capables, je la suivais parfaitement sur ce point.

« Le lundi d'après, je suis arrivée au travail et je suis passée devant mon directeur pour le saluer. Il était dans son bureau et il avait l'air de regarder quelque chose de drôle sur son écran.

Quand j'ai allumé mon poste, je suis tout de suite allée sur ma boîte mail pour lire les messages de Taoufik. Ma poitrine s'est vidée d'un coup. C'était comme si quelqu'un avait plongé sa main dedans pour en arracher le cœur. Dans plusieurs messages, il y avait des photos de moi prises sur son écran pendant que je posais pour lui, les messages que je lui avais écrits, tout… l'intérieur de mon corps était une balançoire géante. Et je ne savais pas comment arrêter le mouvement.

« Je n'ai osé rouvrir mon mail qu'entre midi et deux, quand le bureau était vide. Taoufik avait envoyé ces messages à tout le monde : moi, mes collègues, mon directeur qui riait ce matin-là, mon mari… tout le monde.

« Je me suis levée, j'ai pris mon sac et je suis sortie. Je ne voyais rien, je n'entendais rien. Mais mon sang avait gelé et il me brûlait la peau de l'intérieur. J'ai erré toute la journée en ville, en serrant mon sac sous mon bras. Si je n'avais pas peur de Dieu, j'en aurais fini avec moi ce jour-là.

« Quand la nuit est tombée, je suis rentrée chez moi. Mon mari était déjà là. Assis sur une chaise devant la porte. Les enfants étaient assis derrière lui dans le salon. Le sang avait quitté leur visage, et leurs bras sans force pendaient à leurs côtés. Je n'aurais pas de mots pour te décrire cette nuit. Jusqu'à l'aube, les enfants ont regardé en pleurant. Chaque fois que l'un d'eux voulait me protéger, son père l'envoyait tanguer contre le mur du salon.

« Moi, j'avais tellement honte que je ne disais rien en recevant ses coups. Jamais avant cette journée, je n'avais réalisé que ce que je faisais derrière l'écran était réel.

« Je te le dis à toi : mes réflexes me faisaient cacher mon visage mais en réalité, j'étais soulagée qu'il me frappe. J'aurais voulu que ça dure jusqu'à ce que j'expie ma faute et que je me relève vierge de toute cette histoire. Ou que j'en meure. »

Halima ne me regardait plus. Elle n'était plus là. Elle a raconté la suite, calmement.

« Après cette nuit, mon mari a demandé le divorce. Le jugement a été prononcé très vite. Je n'ai pas cherché à me défendre. Je n'ai pas pris d'avocat. Ils m'ont condamnée à deux ans de prison pour pornographie. La dernière fois que j'ai vu mon mari, c'est le jour où il m'a apporté des papiers de la banque et du notaire pour je ne sais quoi concernant notre appartement. Je les ai signés sans les lire.

« Depuis la prononciation du jugement, j'ai tellement honte que je n'ai revu personne sauf une collègue, Nisrine, avec laquelle j'étais copine au bureau. Elle est venue me voir une fois en prison. Elle était porteuse de nouvelles dont j'aurais préféré ne jamais rien savoir. »

Halima hochait lentement la tête de droite à gauche, le regard dans le vide, en souriant. Elle m'a rappelé une cinglée que j'avais vue dans un film sur 2M. Elle était debout devant un précipice et, avant de se jeter, elle avait exactement le même sourire qu'elle à ce moment.

« Elle m'a dit qu'après mon départ, tout le monde ne parlait que de ces photos et de mon procès. Elle est venue en pensant que ce qu'elle allait me dire allégerait mon poids. Pendant le procès, les langues se sont déliées et au bureau, Wafaa – une secrétaire avec laquelle je ne m'entendais pas – s'est vantée un jour d'avoir réussi à me faire tomber. Nisrine ne connaissait pas tous les détails mais Taoufik était l'un des cousins éloignés de Wafaa.

« Elle avait monté ce plan avec lui. C'était simple pour eux. Moi, des coups comme celui-là, je ne savais même pas que ça pouvait exister. Sur le moment, je me suis sentie trahie et j'avais envie de rendre mes tripes. Mais maintenant, je ne ressens plus rien. J'attends que le temps passe en essayant de rester proche de Dieu. Tu dois penser que je Le prie pour qu'Il me pardonne. Non, je Le prie juste pour qu'Il accepte mes péchés comme une offrande. Toute ma vie, Dieu m'a épargnée. Quand mes parents sont morts, Il m'a donné une tante qui m'a élevée comme sa fille. Il m'a donné un mari, des enfants, un travail, la santé. Je n'ai rien vu de tout ça.

« Je faisais ma prière comme tout le monde mais sans conviction et ce voile, je ne l'avais mis que parce que je ne voulais pas que mon mari soit jaloux. Dieu a tout fait pour moi, et moi je L'ai ignoré. Aujourd'hui, je suis à Lui. Et si j'ai accepté de suivre la femme qui m'a mise en contact avec Houcine à ma sortie de prison, c'est parce que c'est ce que je mérite. Dieu sait que je souffre en faisant ça. Il sait que c'est la pire chose qui puisse m'arriver et moi j'espère qu'Il est content. Parce que – pour ce que j'ai fait à mes enfants et à mon mari – l'enfer, ce ne sera pas assez comme punition. »

Soudainement, comme un robinet qu'une main invisible commande, Halima s'est arrêtée.

Sur le coup, je ne savais pas quoi penser. Et je te mentirais si je te disais qu'elle ne m'a pas touchée. D'ailleurs, c'est quand j'ai vu la photo de ses enfants dans le salon que j'ai décidé de laisser ma fille chez Mouy*.

Là, elle est en vacances chez elle, à Berrechid. Et je ne sais pas encore comment je vais faire pour qu'elle accepte de continuer à la garder. Mais avec un bon mandat chaque mois, je pense que j'arriverai à la convaincre. Et puis, toutes celles – putes ou pas – qui sont dans une situation pourrie et qui ont des parents sur lesquels s'appuyer laissent leurs enfants chez leur mère, pourquoi moi je ferais exception ?

Bref, la Halima, sur le moment, elle m'a fait de la peine mais maintenant que j'ai eu le temps de tourner ça dans tous les sens, je pense qu'elle ne peut s'en prendre qu'à elle-même.

Son plus gros problème, c'est que ce n'est pas une femme capable.

Quand on se retrouve ici, c'est qu'on n'a pas le choix. Pas parce qu'on fait des gamineries derrière un écran et qu'après on ne sait pas se défendre. Avant ici, elle était en prison. Et avant d'être en prison, elle était mariée et avait un foyer. Tu en connais beaucoup des exemples comme ceux-là ? Tu en connais beaucoup qui ne savent pas se démerder au point de faire une unique et fatale chute ? Sans trébucher avant ?

Moi je dis que si ça t'arrive, c'est que tu ne regardes pas devant toi et que tu avances comme un âne. Pour ça, le jour où tu cherches un responsable, tu ne peux blâmer personne à part toi.

Mercredi 21

Je suis dans le car pour aller à Berrechid. Je n'ai toujours pas eu de nouvelles de Hamid. J'ai essayé de l'appeler mais encore une fois, il n'a pas répondu ce pédé. Tant pis pour lui. Parce qu'à partir d'aujourd'hui, je vide la ville pour un mois.

Je suis assise côté fenêtre, et dehors la route défile. À cette période de l'année, tout est jaune. Et les champs sont tous rasés. Cette année, les récoltes ont été maigres, ils ont dit.

Mais il ne faut pas faire attention. Ils disent ça tous les ans pour gonfler les prix.

Une femme aussi grosse qu'un bidon est assise à ma gauche et elle a installé ses enfants – deux garçons assez grands – dans les deux sièges de la rangée d'à côté. Je vais être tranquille pendant le voyage parce qu'elle sait les tenir. Moi, les cris des enfants, ça m'énerve. Et aujourd'hui, je peux démarrer plus facilement que les autres jours. J'arrête l'alcool quand je vais chez Mouy. Et même si je me shoote aux cachets pour m'étourdir, il ne m'en faut pas beaucoup pour péter un câble.

Quand ils sont montés, ses fils se chamaillaient derrière elle. Quand elle m'a demandé tout en s'asseyant si elle pouvait s'asseoir, les deux mioches étaient en train de se taper dessus. Elle ne pouvait pas les voir parce qu'elle était baissée pour ranger son sac sous le siège devant elle. Mais elle n'a pas eu besoin d'avoir des yeux dans le dos pour se rendre compte qu'ils faisaient des conneries. Tout en se relevant, elle a envoyé sa main sur la joue d'un fils et dans le mouvement de retour sur le dos de l'autre.

J'ai bien ri en pensant « ça, c'est de l'entraînement ». Mais j'ai ri dans ma tête, pas en vrai.

— Taisez-vous, ânes que vous êtes ! elle a crié.

Et elle s'est tournée vers moi en me disant :

— Ces enfants vont me rendre dingue.

— Dieu récompense les parents pour leurs sacrifices, j'ai répondu machinalement en m'ajustant sur mon siège pour lui faire de la place.

Il fait une chaleur étouffante et la gare routière grouillait de monde tout à l'heure. Heureusement que j'ai les bras musclés. Quand j'ai vu tous ces gens, j'ai mis les mains dans les poches de ma jellaba, j'ai sorti mes coudes et *anafa* ! C'est ce qu'il lui faut à ce peuple. Le coude et la matraque, il n'y a que ça qui marche. Si je n'avais pas fait comme ça, tu me trouverais encore en train de bronzer là-bas à cette heure.

En plus, comme dans quelques jours c'est ramadan, tout le monde se bouscule, tout le monde voyage, tout le monde va quelque part. Et il faut voir ce qu'ils trimbalent comme affaires avec eux. Moi, je n'ai quasiment rien pris. Quand je voyage comme ça, je prends le minimum. J'ai mis la mkharka* que j'ai achetée de chez Rkia dans un grand sac avec des dattes et mes vêtements dans un sachet en bon état. Mouy va aimer la mkharka de Rkia. Exceptionnelle, elle est.

Je lui ai demandé de me la préparer il y a un mois déjà. Elle la fait chez elle à Derb Sultan et tout le monde se bagarre pour en avoir. Moi, comme je la connais depuis des années, elle ne discute même pas quand je passe ma commande, même si pour ça elle doit laisser celle de sa sœur en suspens. Et à un bon prix en plus. Trente-cinq dirhams le kilo. J'en ai pris assez pour tenir tout le mois.

Tous les ans, je passe ramadan avec la génitrice. Travail ou pas, je n'ai pas intérêt à rater ramadan avec Mouy. Et même si c'est un mois où les filles travaillent bien dans le quartier, moi je pars.

Ça a toujours été comme ça, même quand j'avais un chez-moi. Et la vérité, c'est que ça me repose aussi. Même si Mouy, elle ne te laisse pas un instant de répit. Quand je suis à la maison avec elle, elle ne me laisse pas regarder la télé tranquille. Va faire ci, va faire ça. Elle, elle aime les corvées. Dès qu'elle voit un truc qui ne brille pas, elle se lève. Moi des fois, je suis fatiguée rien qu'à la regarder.

Physiquement, je lui ressemble beaucoup. Elle était très belle dans sa jeunesse, comme moi à l'époque. Grande, forte, bien remplie, les cheveux fournis, longs jusqu'au genou, raides et noirs. Aujourd'hui encore, elle a besoin d'enrouler ses cheveux une bonne dizaine de fois pour les ramasser en chignon derrière sa tête.

Et elle est forte. Tu l'aurais vue plus jeune ! Ses mains pouvaient pétrir le pain à longueur de journée sans fatigue. Elle n'avait pas besoin de mon père pour égorger les poulets ou les moutons. Lui, Dieu ait son âme, il n'ouvrait pas la bouche face à Mouy. Même s'il était costaud lui aussi et qu'il pouvait lui casser les dents de devant avec une moitié de coup de poing s'il le voulait.

De toute façon, il ne passait pas beaucoup de temps chez nous.

Jusqu'à ce qu'il tombe malade et qu'il prenne le lit, Ba* n'était jamais à la maison. C'était un bosseur. Quand on était encore à la campagne, il passait la journée à l'extérieur. Quand il ne labourait pas, il empilait le foin. Et quand il ne plantait pas, il déracinait une chose ou une autre.

Et quand on est montés en ville – je devais avoir dans les quinze ans – il ne rentrait plus à la maison que le soir, tard. Mouy lui servait à dîner et il dormait jusqu'au lendemain. Il travaillait au souk, dans la grange à grains.

Et un jour, il est tombé malade. Je ne pourrais pas te dire ce que c'était exactement, un microbe s'est mis à le manger de l'intérieur.

Et à partir de là, il ne restait rien de lui. Il était devenu aussi maigre que mon auriculaire. Le pauvre était tellement affaibli qu'il ne parlait plus, ne mangeait plus. On l'a emmené chez le médecin mais il a dit qu'il ne pouvait rien faire pour lui.

Alors on l'a ramené à la maison où il passait la journée à l'angle de deux matelas du salon à attendre son tour devant la télé. Je pense qu'il n'arrivait pas à voir l'écran. Si ça se trouve, il ne faisait pas la différence entre les images et le zellige avec lequel Mouy a recouvert les murs. Un beau zellige, bleu, avec du orange, du vert et du blanc.

Un soir, on venait de finir de dîner. Mes frères étaient sortis fumer leur cigarette dans la rue et Mouy, les femmes de mes frères et moi, on rangeait. Ba était à sa place. Quand on a eu fini de ranger, Farida, la femme de mon plus jeune frère, a préparé un thé et on s'est assises pour discuter, et plaisanter un peu.

À un moment, Mouy m'a dit :

— Aide ton père, j'ai l'impression qu'il veut se tourner.

Comme il avait bougé, sa couverture avait glissé de son épaule. Et quand je me suis penchée vers lui pour le porter, il était parti. C'était aussi simple que ça. Pas de bruit, pas d'hôpital. Rien. Tu es chez toi, tu entends tes proches parler autour de toi et tu fermes les yeux sur ça. Pour toujours. Il y a plus chanceux que lui ?

Maintenant, Mouy habite toujours cette maison. Au début, quand ils l'ont construite, on habitait au deuxième avec mon père. Mais dès qu'elle a eu ses problèmes de genoux, elle ne pouvait plus monter les marches. Alors au lieu de s'alléger en suivant un régime comme le lui avait dit le docteur, elle a préféré descendre un étage. Elle a dit qu'elle avait passé sa vie à entretenir ses formes, ce n'était pas pour qu'un charlatan la renvoie à la case départ avec sa salade verte. Mouy a la tête dure.

— Tu en veux ? me dit le bidon sur ma gauche en me tendant un bimo*.

Je prends le biscuit même si je n'en veux pas. Ça ne se fait pas de refuser.

— Tu vas où ? elle me dit en arrangeant sa jellaba verte au niveau des épaules.

— À Berrechid, chez ma mère. Et toi ?

Je transpire et j'essuie les gouttes de sueur qui perlent de mon front toutes les minutes. Elle aussi transpire mais ça ne l'empêche pas de parler.

— À Marrakech. Tu vis à Casa ? elle me demande.

— Oui, je m'occupe d'une pauvre tante malade, je lui dis en proposant un peu d'eau de la bouteille que j'ai remplie à la maison.

La tante malade, qui ne vit que dans ton imaginaire, est très utile dans des cas comme celui-là où tu rencontres quelqu'un que tu ne connais pas mais avec qui tu as bien envie de discuter.

Tout le monde a une tante malade, non ? Ou mourante. Ou un truc comme ça. Mais tu ne peux pas servir cette histoire à tes proches. Pour eux, il faut une version plus élaborée. Pour Mouy par exemple, c'est un autre scénario que j'ai raconté.

Dès que mon mari est parti, je lui ai dit que je resterais à Casablanca pour faire des ménages. Pas que j'étais une vulgaire bonne, non. Mouy n'aurait jamais avalé que sa fille nettoie la crasse des gens en se faisant traiter comme une esclave. Pour Mouy, je fais du nettoyage propre. Pas de serpillière, pas de balai. J'ai une machine, je m'assois dessus et c'est comme ça que le nettoyage se fait. Un travail de société, quoi. J'ai vu ça dans un film.

Et je lui ai dit qu'à côté – pour dépanner – je fais du commerce de contrebande, avec des produits qu'on me ramène du Nord et que je revends ici. C'est ce que j'ai dit. Et c'est passé. Donc je n'ai pas trop de problèmes avec elle. Le truc qui me parasite vraiment, c'est que chaque fois que je vais la voir, elle me cuisine pour savoir où j'en suis avec le bâtard de mon mari. Et chaque fois, elle se fait plus insistante que la précédente.

Bon, lui et moi – il s'appelle Hamid aussi – on n'est plus mariés mais notre histoire n'est pas encore terminée. Je te la raconterai un jour.

*

Je suis à Berrechid.

Sur la route, ma voisine m'a raconté toute l'histoire de sa vie. Sa mère, son père, ses sœurs, son mari, ses enfants, ce qu'elle aime manger pour le ftour*, les gâteaux qu'elle prend au petit déjeuner le jour de l'Aïd. Tout. Même sans cigarettes, je n'ai pas senti le trajet passer.

Je viens d'arriver dans notre quartier. Le taxi m'a déposée sur l'avenue et je suis en train de marcher vers chez nous. Les maisons, les commerces, tout est comme je l'avais laissé. La mosquée est toujours à sa place. Le bloc électrique aussi. Il y a peut-être quelques gribouillages en plus sur ces murs gris là-bas.

Le vendeur de pépites fait toujours face à la laverie. Et Brahim, le fils des voisins, est appuyé contre le mur. Chaque fois que je l'ai vu, il était dans cette position : en équilibre sur une jambe, un joint à la main. Une fois, il est sur la jambe gauche, une fois sur la droite. C'est tout ce qui change.

Des enfants jouent au foot dans la rue. Trois ou quatre entourent Brahim. Ils lui demandent de leur raconter des blagues. Ils font toujours ça. Lui, il raconte ou pas en fonction de son humeur. Et de la qualité de ce qu'il a dans la main. Un coup il rigole, et un coup il reste debout comme la cigogne dans son nid.

Voilà notre maison. Elle est comme toutes les autres. On a un rez-de-chaussée où il y a un garage que ma mère loue à un gars qui y a fait une téléboutique. Et la porte d'entrée en fer rouge s'ouvre sur un escalier qui monte aux étages. On en a trois. Sans compter le toit où on égorge le mouton de l'Aïd. Mes frères et leurs femmes habitent au-dessus de Mouy. Abdelhak au deuxième, Abdelilah au troisième. Là aussi, rien n'a changé. La porte rouge est encore rouge. Et la clé qui est sur le rebord en haut est toujours à sa place elle aussi. Je mets un moment à la trouver et mes doigts courent de droite à gauche. Je monte les escaliers et d'ici, j'entends ma mère parler. Elle est en train de dire aux femmes de mes frères quels gâteaux elles doivent préparer pour ramadan.

— Bon, on est d'accord, vous, vous allez acheter ce qu'il nous faut pour faire les gâteaux. Et n'oubliez pas de prendre une plaque à pâtisserie. La nôtre colle.

Comme d'habitude, elle fait la directrice.

— La mkharka, je m'en occupe, je dis en rentrant dans le salon où elles sont assises autour de la table et en levant mon saç pour montrer que les gâteaux sont dedans.

Elles se tournent toutes les trois vers la porte où je suis debout. Ma mère est pile à l'endroit où mon père est parti. Devant elles, elles ont un plateau avec du thé, du pain et de l'huile d'olive. Je pose mon sac et j'enlève mes sandales sans me baisser.

Mouy est à moitié allongée sur le côté et en me voyant, elle se redresse un peu, juste ce qu'il faut pour me tendre sa main à embrasser des deux côtés. Le dos puis la paume. Quoi qu'on dise, la main d'une mère, ça reste sacré. Je la serre ensuite fort contre moi après lui avoir embrassé le front.

Samia me saute dessus. Elle a grandi depuis la dernière fois que je l'ai vue. Et elle a embelli. Mouy est peut-être difficile mais ce qu'on ne peut pas lui enlever, c'est qu'elle s'occupe bien de ma fille.

Je salue les femmes de mes frères. Elles insistent sur chacune de mes joues plusieurs fois, en faisant du bruit et en embrassant le vide. Je ne les aime pas trop. Toutes les deux et chacune dans son genre. Il faut toujours qu'il y en ait une qui me cherche des histoires.

Et ce qui me dérange là-dedans, c'est qu'elles passent par mes frères, qui parlent à ma mère, qui vient me raconter ce qui s'est dit. Pourquoi elles ne viendraient pas me parler directement ? Moi, je n'aime pas les détours. Et si elles ont peur, alors qu'elles ferment leur gueule.

— Comment était la route ?

— Elle était bien, Mouy, bien.

Ses yeux me passent au scanner.

— Il ne faisait pas trop chaud ?

— Si, la mort.

Elle verse du thé et en regardant mes orteils pour y chercher je ne sais quoi :

— Tu as trouvé facilement un transport pour venir jusqu'ici ?

— Oui, Mouy, merci.

Et elle me tend le verre, scrute du côté de mes oreilles :

— Et le travail, ça va ? Tout se passe bien ?

Elle ne laisse pas une seconde de pause entre mes réponses et la question d'après. Et je la sens venir avec son interrogatoire. Dans une ou deux questions, il va y avoir celle que je n'aime pas entendre, surtout devant ces deux-là. Après, elles vont se la péter avec leurs hommes et leurs enfants et leur maison. Comme si elles étaient mieux que moi.

— L'autre damné n'a pas donné signe de vie ?

Qu'est-ce que je te disais ?

L'autre damné comme elle l'appelle – tu l'auras compris –, c'est mon mari. Avec lui, c'est une longue histoire et même si je n'en ai pas vraiment envie, il est temps que je t'en parle.

*

J'ai rencontré Hamid deux ou trois ans après qu'on s'est installés à Berrechid. Je devais avoir dix-sept ou dix-huit ans. Il n'habitait pas loin de chez nous. La première fois que je l'ai vu, il était sur sa moto, une Peugeot 103 avec laquelle il pétaradait dans le quartier. Il était l'ami de mes frères. Ils l'appelaient le tailleur. Parce qu'il passait sa journée à slalomer entre les rues avec sa moto comme l'aiguille du tailleur entre les étoffes.

La première chose que j'ai vue de lui, ce sont ses cheveux. C'était la fin d'une journée d'été, longue comme la mort. Le soleil tapait fort encore. Sous son reflet, les cheveux de Hamid brillaient autant que le pot d'échappement de sa moto. Il en avait des tonnes et ils étaient aussi noirs que la nigelle. Les gens racontent que la nigelle protège du mauvais œil. Je ne peux pas te dire si c'est vrai ou pas. Par contre, je peux te dire que moi, elle a perforé les miens.

Comme ça roulait plutôt bien pour lui, il était toujours bien habillé. Il était grand et mince mais fort. Une beauté arabe, avec des sourcils épais. J'étais folle de lui. Toutes les filles du quartier l'étaient.

De temps en temps, je le croisais en allant faire une course à l'épicerie et il me demandait d'appeler un de mes frères s'il était à la maison. À cette époque, mes quatre frères vivaient encore chez nos parents. Abdelilah, Abdelhak, Abdelaziz et Abdelkrim.

Petit à petit, il a commencé à me parler et à

me sourire. Comme il me plaisait, j'avais le cœur qui sortait de sa place chaque fois qu'il me regardait. Tu sais comment c'est quand tu es jeune. Un regard allume un brasier.

On a commencé à se parler. Et petit à petit, de « parle-moi que je te parle », on est passés à « embrasse-moi que je t'embrasse », puis à « touche-moi que je te touche » et de là on a voulu passer à autre chose.

Comme je tardais un peu trop chaque fois que j'allais à l'épicerie, Mouy – qui commençait à se douter que quelque chose n'allait pas – a serré les vis. Et un jour, elle m'a coincée en flagrant délit. On était en train de s'embrasser entre deux murs. Lui avait la main pressée sur l'un de mes seins. Mes seins étaient tellement gros qu'ils débordaient entre ses doigts.

Pas la peine que je te raconte la tannée que j'ai prise ce jour-là. C'était la plus grande tannée après celle que j'ai prise environ deux semaines plus tard. Comme je ne pouvais plus sortir, je passais la journée à monter et descendre du toit pour étendre le linge ou vérifier s'il était sec. À peine arrivée en haut, je me penchais pour tenter d'apercevoir Hamid et lui faire un signe. Comme il était ami avec le fils des voisins, il me rejoignait en passant par le toit de leur maison. On s'est vus comme ça jusqu'à ce que ma mère nous coince à nouveau.

Quand elle est arrivée sur le toit, lui a pris la fuite et Mouy a appelé mes frères pour leur dire d'aller dire à ce damné, ce bâtard, ce saligaud, ce voyou et je ne sais quoi encore de ne plus rôder par ici à moins qu'il ne cherche quelqu'un pour lui tondre la crinière. Et ensuite, elle s'est occupée de moi. Moi, je pleurais et je criais. Si j'avais su où tout ça allait me conduire, je me serais tapé un hammam pour masser tout ça et je serais rentrée gentiment me froisser sous une couverture. Mais j'étais trop jeune pour ça et ça me démangeait encore là où tu sais.

Les jours ont passé et moi je continuais à pleurer et à me croire dans un film. Je ne voulais plus manger, je ne voulais plus me laver. Ni les coups de Mouy ni ceux de Ba ne pouvaient rien contre ça. Mouy allait devenir dingue tellement elle ne savait plus quoi faire de moi. Un jour, sans prévenir, pendant qu'on était en train de manger, elle s'est tournée vers moi et elle a dit devant tout le monde :

— La seule solution avec toi, c'est le mariage.

Et elle s'est adressée à mon frère aîné en le pointant du doigt :

— C'est toi qui le connais le mieux ? Ou toi ? en se tournant vers un autre de mes frères.

Sans attendre la réponse, elle a enchaîné en regardant entre les deux pour que celui qui se sente le plus visé agisse :

— Tu vas aller voir le gamin et tu vas lui dire de ramener sa mère pour que je lui parle. Et toi, je te préviens, elle m'a dit en dirigeant son index droit vers moi et son sourcil opposé vers le ciel, ne viens pas pleurer chez moi le jour où ça se corsera avec lui.

J'ai su bien après que Mouy pensait que Hamid prendrait la fuite en entendant parler de choses sérieuses. Mais ce n'est pas ce qui s'est produit.

Finalement, sa mère est venue. Elle a apporté des pains de sucre, du thé et ses deux filles, des fois que ma mère en voudrait une pour l'un de ses fils.

Ma mère m'avait prêté une tenue beige clair à elle, simple, sans ceinture. Et elle avait tressé mes cheveux. Je leur ai servi le thé. J'avais préparé des msemens* et des gâteaux au beurre. Elles se sont assises et elles ont parlé.

Quelque temps après, on était mariés. Je crois que je ne suis jamais arrivée à ce degré de joie dans ma vie. Je ne me sentais plus de l'avoir arraché aux autres filles.

On a fait une belle fête. On a égorgé un mouton, la famille est venue, les voisins sont venus. La famille du marié a envoyé une de ces vaches ! Grande, généreuse, noire et blanche. Je l'ai vue arriver de loin par la fenêtre de la chambre où ils m'avaient mise pour me préparer. Elle prenait toute la largeur de la route. Et tu aurais vu comment ils avaient décoré son front : ils lui avaient fait la plus belle couronne de menthe qu'il m'ait été donné de voir. C'était quelque chose. C'était tellement beau que j'ai lâché le plus grand youyou de ma vie. Il a duré tellement longtemps que pendant que je le lâchais, Mouy a eu le temps de descendre du toit où elle faisait je ne sais quoi, d'arriver derrière moi, d'enlever sa sandale et de me la jeter à la nuque en me criant qu'une mariée ne fait pas ses propres youyous, que ça porte la poisse et qu'aujourd'hui qu'elle allait se débarrasser de moi était un grand jour.

À mon mariage, les femmes ont dansé et les invités ont bien mangé. On a fait un de ces couscous ! Si les assiettes parlaient, tu n'aurais pas distingué leurs youyous de celui des femmes. Ma mère sait bien faire le couscous. Et moi aussi. Quand une femme enceinte a des envies, c'est mon couscous qu'elle demande. À ma naissance, ma mère a frotté un foie de poulet dans mes paumes pour que je sache cuisiner. Et je fais une de ces rfissate* ! Tu mangerais tes doigts avec.

L'autre jour, j'étais avec les filles et je leur avais préparé un couscous à la viande et aux légumes. Il y avait de la courge, des courgettes, des navets, des carottes, des aubergines, des oignons ; tous les légumes que Dieu a faits étaient dedans. Pendant qu'on mangeait, Samira a dit :

— Jmiaa, si tu cuisinais pour des mariages, tu serais aussi célèbre que Choumicha*.

Et l'autre jalouse de Hajar lui a dit :

— Bargache* tu veux dire ? en sous-entendant que je suis grosse.

— Celui qui se souvient de Bargache est en train de s'occuper de ses petits-enfants à cette heure, a répondu Samira du tac au tac.

On a bien rigolé.

Après la fête de mon mariage, on est restés

quelque temps à Berrechid chez sa mère puis Hamid a proposé qu'on aille vivre à Casa. Là-bas, il y a du travail, il a dit.

On est partis. On a loué une chambre chez une dame d'un certain âge qu'on appelait Lhajja*.

Au début, Hamid sortait le matin pour aller travailler. Je ne sais pas exactement ce qu'il faisait mais l'essentiel, c'est qu'il ramenait de l'argent.

Moi, je passais la journée à la maison, soit à regarder la télévision soit à écouter de la musique – Najat Aatabou*, la plupart du temps. Hamid m'avait offert une cassette d'elle quand on était encore à Berrechid et depuis cette époque, Najat est devenue comme ma sœur. Je connais toutes ses chansons par cœur et il n'y a pas un de ses spectacles que je rate à la télévision.

À cette époque j'écoutais ses chansons sans les comprendre mais maintenant je sais ce que j'aime chez elle : c'est qu'elle raconte toujours des choses ordinaires, en apparence banales, des histoires qui peuvent arriver à tout le monde, mille fois par jour. Il y a toujours un moment dans sa chanson où ce qu'elle dit, c'est exactement ce qui t'est arrivé. Comme si elle était avec toi à ce moment-là. Ou que son cerveau s'est connecté au tien quand elle s'est posée pour écrire. Elle me tenait bien compagnie.

Et quand Hamid rentrait en fin de journée,

on prenait un casse-croûte et on passait la soirée ensemble. C'était la fête. Et comme il n'y a rien de mieux que la vérité, la vérité, c'est que tous les jours, j'étais comme une mariée le soir de sa noce. Il rentrait et il me trouvait allongée, accoudée sur le côté, une main posée sur mes hanches rebondies, à regarder la télévision. Schéhérazade sur son lit de noces ! Comme si je passais la journée à poser comme une pute devant la télévision.

Dès qu'il ouvrait la porte et que je lui apparaissais comme ça, il venait droit sur moi. Il ne pensait plus ni à son joint qu'il avait prévu de fumer, ni à ses copains avec qui il aimait parfois prendre des cafés, ni à rien d'autre. De tout ça, la seule chose qu'il voyait, c'était un cake fourré à la crème de la taille d'un être humain, posé sur son lit comme un don de Dieu.

Le dimanche, en général, on allait se promener. On allait sur la place aux pigeons, à côté de la fontaine. Je mettais ma jellaba de mariage – une verte, avec des broderies argentées sur le devant, le côté et les manches. On remontait l'avenue Hassan-II en mangeant des pépites. On s'arrêtait pour manger des escargots. Toutes les femmes nous regardaient tellement on était beaux. On rigolait bien ensemble, je ne sais plus pourquoi. Et toute la route, le long de notre promenade, était comme ça. Il rigolait et je rigolais. Comme si nos rires parlaient entre eux.

Quand on se promenait et que je l'attrapais par le bras, son torse était gonflé comme celui du paon avant qu'il ne déploie sa queue. C'était comme ce que tu vois dans les films. Le héros est beau, bien habillé, propre. Et la fille qui est avec lui, souriante, joyeuse. Tu n'as même pas besoin d'entendre ce qu'ils se disent pour comprendre ce qui se passe. Ils te mettent juste de la musique en fond.

Mais les films, d'où ils ont pris ça, tu le sais ? Ils l'ont pris de la vraie vie. Le problème, c'est que ces fils de pute qui écrivent les histoires, ils ne te disent pas où ça te mène à la fin. Non, eux, ce qu'ils savent, c'est te lâcher après la fête du mariage. Quand ta panse est encore tendue. Et que tu souris tellement que tes dents sont sur le point de sortir pour aller se tortiller avec les invités. Ce qui vient après, eux, ce n'est pas leur problème. Parce que s'ils te le disaient, tu n'irais pas voir leur film de merde.

Et puis, les deux mois à la noix que dure la lune de miel sont passés. Et petit à petit, les choses ont changé. Sur le coup, je ne m'en suis pas rendu compte. Ça a commencé insidieusement, comme une maladie. Le temps que je le réalise, on m'avait déjà enroulée dans un linceul.

Hamid s'est mis à sortir de plus en plus tard le matin. Il avait pris un emploi auprès d'un agent immobilier : il trouvait des clients pour acheter et vendre des maisons et il était commissionné sur les ventes. Exactement comme le Belaïd ou le Saïd de Chaïba. De temps en temps, il faisait aussi du commerce de voitures. C'est ce qu'il me disait. Et c'est comme ça qu'il justifiait qu'un coup il venait avec une grosse somme, et l'autre il ne ramenait rien. Ces rentrées irrégulières, ça ne me dérangeait pas. Quand il me donnait plus que ce dont j'avais besoin, je cachais le surplus dans le placard, avec mes affaires. Et pour ne pas qu'il se rende compte que je mettais des pièces de côté, je continuais à lui demander tous les vendredis de m'en donner. Mais quand il n'en avait pas, je n'insistais pas trop.

Hamid se mettait vite en colère. Moi, quand je le sentais monter, je ne lui laissais pas le temps de se tourner dans ma direction pour me chercher des poux dans la tête. Je me trouvais vite fait quelque chose à faire. Comme aller chercher l'huile que j'avais oubliée chez l'épicier. Ou de la Vache qui rit. Ou une boîte de sardines. Ou n'importe quoi qui me fasse au passage disparaître de sa vue.

Mais des fois, il me coinçait avant. Quand ça arrivait, je savais que c'en était fini de moi.

Ce qu'il faut savoir pour comprendre ce que je dis, c'est que Hamid s'adonnait aux joints. Et qu'il n'y a pas pire que les joints, même si tout le monde – des mioches aux centenaires – fume et même si on dirait qu'il en pousse sur les trottoirs tellement c'est courant. J'ai vu les bizarreries les plus noires dans ma vie mais je n'ai jamais vu de maladie comme celle du haschich.

Le haschich, c'est une maladie toute douce. Elle te rentre doucement dans la peau, elle est cool, souriante. Tu te sens bien avec elle. Tu as envie de te mettre dans ses bras pour qu'elle te berce comme ta mère le faisait. Elle te fait le même effet à chaque fois, elle te rassure. Et tes copains qui fument, eux aussi ils sont cool et gentils. Et vous êtes tous dans les bras de la même mère. Vous êtes tous frères. Et vous vous aimez. Et puis un jour, tu ne sais pas pourquoi, comme une chatte, la mère prend un de ses petits et elle le mange. Comme ça. Pourquoi celui-là ? Pourquoi pas son frère ? Dieu seul sait. Les autres qui sont avec toi, ils continuent à téter leurs joints sans bouger. Ils la regardent te bouffer, partagés entre l'effet soporifique qu'elle a sur eux et la peur qu'il leur arrive la même chose.

Mais pour comprendre ça, tu dois le vivre. Moi, comme je ne le savais pas, je laissais Hamid fumer comme il le voulait. Le problème, c'est l'histoire de cette chatte avec ses petits. De la portée, c'est Hamid qu'elle a choisi. Il est devenu paranoïaque. Il doutait de tout ce qu'il voyait ou entendait.

Hamid m'usait quand il s'y mettait. On passait des heures à parler dans le vide. Ça commençait par un rien et on se retrouvait à déterrer les morts, comme ce soir-là, où on était posés tranquillement à la maison. Lui devait sortir pour rejoindre ses copains, et moi j'étais en train de regarder un feuilleton égyptien.

— Où est mon pantalon noir ? il m'a demandé, la tête dans le placard, le bras qui va et qui vient entre l'armoire et le lit, faisant voler au passage des vêtements.

— Demande avant d'éventrer l'armoire. Je l'ai lavé, il est sur le toit en train de sécher, j'ai répondu en poussant de mon bras les vêtements qui s'étaient retrouvés à côté de moi, sans décoller mon œil de la télévision.

Après un moment de silence :

— Qu'est-ce qui t'intéresse dans ce feuilleton de merde ? il m'a dit dans une grimace en froissant l'intégralité de son visage, la tête tournée vers l'écran. Le Gamel Pacha passe sa journée à lustrer ses cheveux pour sa pute de secrétaire, et toi, c'est quoi ton lien avec cette Amel ? il a ajouté.

À l'écran, Nawel ou je ne sais plus comment elle s'appelait était en train de faire la belle dans le bureau de son patron, pour qu'il plante sa femme et qu'il l'emmène en croisière sur le Nil. C'était bien avant que les feuilletons mexicains n'arrivent sur nos écrans.

— Elle ne s'appelle pas Amel, j'ai dit pour éviter de répondre à sa question.

— OK, elle ne s'appelle pas Amel, mais lui, il s'appelle bien Gamel Pacha ? il a répondu en se tortillant pour imiter l'image qu'il se fait du beau gosse.

— Qu'est-ce que ça peut te faire ? Et j'ai ajouté en me levant : Attends, je vais monter pour voir si ton pantalon a séché.

— Tu ne vas ni monter ni descendre. Tu vas t'asseoir ici et tu vas me parler, il a dit en me montrant le lit.

Et après, c'était parti. Dès qu'il arrivait à me

faire asseoir, j'étais cuite. La boxe commençait. Question après question. Je me défendais. Il ne faut pas croire que je me laissais faire. Ce n'est pas mon genre. Mais la différence entre lui et moi, c'est que lui ne sentait pas l'épuisement. Il n'avait jamais le souffle court quand il s'agissait de se disputer. Et moi à l'époque je n'étais pas encore entraînée.

Je me souviens très bien de la sensation que je ressentais pendant ces discussions qui ne voulaient pas finir. Au moment où il commençait à me cuisiner, c'est comme s'il insérait un ver dans mon ventre. Et que ce ver se mettait à manger ce qu'il y trouvait, très lentement. Il grandissait, grandissait, grandissait jusqu'à remplacer mes intestins, monter le long de ma gorge et arriver à ma tête. Une fois là-bas, la première chose que le ver faisait, c'était me boucher les oreilles. Il mangeait le conduit qui mène vers les orifices et mes oreilles s'obstruaient. Je n'entendais plus rien. Ça me donnait envie de vomir. Et ensuite, il s'attaquait à ma cervelle. J'avais envie d'enlever ma tête de mon cou, de la poser sur la table et de partir. Qu'il n'y ait plus rien, c'est tout. Pendant ce temps, Hamid continuait à bouger ses lèvres dans ma direction en posant question après question. Et à un moment, je ne sais pas pourquoi, il s'arrêtait de parler et il sortait. Il s'arrêtait au moment où j'étais vidée, où je me sentais creuse comme une cruche. Comme si le ver et lui n'étaient qu'un. Et qu'il savait qu'il n'y avait plus rien à manger.

*

À la paranoïa, aux joints, à ses nerfs et à l'argent qui se faisait de plus en plus rare, il a ajouté l'alcool. Quand je l'ai rencontré, il buvait le samedi soir avec ses copains. Pour s'amuser un peu. Quand on est arrivés à Casa et comme il n'y avait plus sa mère pour le surveiller, il a bu un peu plus.

Il buvait dehors avec ses copains, en fin de journée avant de rentrer dîner.

De temps en temps, il ressortait après dîner pour continuer. Et puis, il a accéléré la cadence. D'un côté, ça m'arrangeait parce qu'il commençait à me fatiguer. Mais de l'autre, ça me parasitait parce que je n'aimais pas l'idée qu'il se soit lassé de moi. C'est ce qui arrive quand tu prends un mari que tu aimes : un jour ou l'autre, il te délaisse. Et il ne reste que des cendres froides du brasier dont tu pensais qu'il rôtirait les moutons par milliers.

Il s'est retrouvé à ne plus rentrer pour manger avec moi le soir. Les premiers temps, je l'attendais en m'endormant devant la télévision mais il arrivait tard et il sentait mauvais. Une odeur de clope et de vin qui me retournait les intestins. Je n'aimais pas ça. Surtout qu'il aimait me monter quand il était dans cet état. Comme je dormais, je le sentais rentrer et se frotter contre moi, tendu comme un âne en rut. C'est mon nez qui le détectait, avant mes cuisses. Et puis progressivement, je n'aimais plus qu'il me touche, même quand il était sobre.

Parfois, le soir, il lui arrivait de ne même pas réussir à atteindre notre lit. Et de plus en plus régulièrement, il vidait ses tripes sur le sol. Le lendemain, je nettoyais tout. Son vomi par terre et mes draps souillés. Là encore, je n'ai rien dit pendant un moment. Je le laissais faire en me disant que ça lui passerait, qu'il était encore jeune et qu'il se calmerait comme tout le monde. Mais c'est devenu la norme, et plus le temps passait et plus j'en avais marre. Il m'arrivait de me lever le matin, l'humeur comme une chevelure en pétard, et de hurler contre lui qui – de derrière son brouillard – ne m'écoutait que d'une moitié d'oreille. Et puis, je me taisais pour que les voisins ne nous entendent pas. Je n'aurais jamais avalé le fait qu'ils sachent ce qui se passait chez nous.

Un jour, j'ai réalisé que Hamid ne prenait plus la peine de se lever pour travailler. Dieu seul sait comment il ramenait l'argent à la maison. Il se levait en milieu d'après-midi, il prenait son café au lait en fumant une cigarette et il allait au café rejoindre ses copains. C'était ça son travail. Aller au café et rêver à des plans qui allaient lui faire gagner de l'argent d'un coup.

Vendre des articles de contrebande rapportés du Nord, de l'essence venue du Sud, ouvrir une laiterie avec sa sœur…Chaque jour apportait son lot d'affaires qui allaient l'enrichir. Un jour, il est venu avec ce qu'il a dit être la meilleure opportunité qu'il ait eue dans sa vie : un de ses amis lui avait proposé d'investir dix mille dirhams dans un lot venu de Chine. Des ballots remplis de lunettes, de sandales, de couvertures. Il voulait acheter la marchandise et l'écouler à Derb Omar*. Il disait qu'il allait démarrer avec ça, racheter de la marchandise et continuer jusqu'à ce qu'il devienne riche.

Il a emprunté de l'argent à sa mère. Dieu seul sait ce qu'elle a vendu pour le dépanner. Le jour où il est revenu de Berrechid avec l'argent, il est sorti avec son copain pour fêter leur future affaire extraordinaire. C'était une fête, et quelle fête ! Il est sorti avec dix mille dirhams, il en est revenu avec rien. Il ne s'en est rendu compte que le matin au réveil. L'argent s'était envolé. Il l'avait caché dans la poche intérieure de sa veste, il a dit ! Il n'est pas cinglé, lui ?

Il a passé la journée à chercher l'argent. Dehors d'abord, puis à la maison. Il a vidé le contenu de notre armoire sur le lit et le sol. Il a fouillé toutes mes affaires. Il a même déchiré la poche intérieure de sa veste pour voir si les billets n'avaient pas glissé dans le blouson. Quand il a réalisé qu'il ne verrait plus trace de son argent, c'est là que son viseur m'a pointée.

Moi pour l'aider, comme une conne, je lui ai demandé de retracer son parcours de la nuit, en lui disant d'essayer de se souvenir où il était allé exactement, des fois qu'il aurait oublié une piste. En guise de réponse et en me demandant de me mêler de ce qui me regarde, il a envoyé un coup qui m'a bleui l'œil. C'était la première fois qu'il levait la main sur moi. Et de ce jour, elle est restée en haut, à chercher n'importe quel prétexte pour atterrir sur mon visage.

Quand c'était parce qu'il était jaloux, je ne disais rien parce que je comprenais mais quand c'était parce qu'il avait juste besoin de refroidir ses ardeurs, là, je sortais de mes gonds et moi aussi je lui en envoyais, des pains dans la figure.

Je ne pourrais pas te dire où est parti cet argent. Quoi qu'il en soit, l'histoire s'est terminée avec lui qui m'embrasse les pieds et les mains pour que je lui donne les bracelets et la chaîne en or qu'il m'avait offerts à mon mariage. Le temps que je dise oui, qu'il les vende et qu'il vende sa moto, il était trop tard pour acheter la marchandise. Le container qui arrivait de Chine avait quitté le port.

Alors ce qu'il a fait, c'est que, avec mon or, il a rendu l'argent à sa mère et il est revenu à la case départ.

C'est à ce moment qu'il a pété un câble. Il n'a pas avalé le fait de s'être fait doubler. Le jour où il a voulu rendre l'argent à sa mère, il lui a offert un magnifique foulard en lui disant que grâce à elle, il avait réussi à se lancer dans les affaires. Et qu'il allait commencer à gagner pas mal d'argent et à lui rendre tout le bien qu'elle avait fait pour lui.

Finalement, il a tellement brodé autour de cette fable que c'est comme s'il s'était mis à y croire. Et les deux sous qu'il arrivait à se débrouiller ne lui suffisaient plus. Il ne pensait plus qu'à l'argent et à comment en rentrer. Mais malgré ça, ne va pas imaginer qu'il a cherché un instant à se débrouiller un vrai boulot. Pour travailler, une langue qui raconte de belles histoires ne suffit pas. Non, pour travailler, il faut des épaules solides. Et Hamid, il n'en avait que l'esquisse.

Moi, je crois que je l'aimais encore. Ou plutôt, comme j'étais encore un peu idiote, je pensais que ça pouvait passer. Et j'espérais. Malgré nos disputes et nos bagarres, je lui pardonnais encore. Comment on en est arrivés à la suite et à cette déchéance ? Je ne pourrais pas le dire. On a avancé sur notre chemin jusqu'à nous y retrouver et c'est tout.

*

Un soir, on était à la maison, sur le point de dîner, Hamid, un copain à lui et moi. Il amenait souvent des amis à la maison. Je leur préparais à manger, ils buvaient une ou deux bouteilles de vin et ils allaient au bar. En général, on se disputait toujours quand il en revenait. Je ne disais rien pour la cigarette, rien pour le haschich, rien pour l'alcool, mais ça me faisait chier qu'il ramène ses copains. Je me sentais de trop quand ils étaient là.

Ce soir-là, j'avais préparé un tagine de pommes de terre aux tomates. Son copain et lui étaient assis sur le matelas, et ils prenaient le verre en plastique blanc à tour de rôle, en fumant des cigarettes et en attendant que je serve le dîner. Ils écoutaient des chikhate* sur le magnétoscope que j'avais emporté de chez mes parents.

Après dîner, Hamid s'est levé et il est parti en lançant :

— Je vais aller acheter des cigarettes et du vin de chez le guerrab*. Je ne vais pas tarder.

J'étais en train de ruminer dans la chambre quand j'ai aperçu derrière moi les pieds de son copain.

— Tu as besoin de quelque chose ? je lui ai demandé, en essayant de masquer mon énervement.

Je n'ai pas eu le temps de finir ma phrase que je ne pouvais déjà plus bouger. Il m'avait sauté dessus en me mettant la main devant la bouche et en m'attrapant par-derrière. D'un côté, j'étais coincée par le mur ; de l'autre par sa jambe qu'il avait enroulée autour des miennes. Il était collé à moi et il frottait son bâton contre mes fesses en cherchant à baisser son pantalon de sa main libre.

Je me débattais mais il était fort comme un taureau. J'essayais de crier. Il m'étouffait. Mon cou était tordu, et je n'arrivais pas à bouger sans me prendre une décharge électrique. Je pensais aux voisins s'ils venaient et qu'ils assistaient à ce spectacle. Sa main soulevait ma robe. Je pensais à mon mari qui allait rentrer et me trouver dans cette position. Il baissait mon caleçon.

Je l'ai mordu en me contorsionnant comme

un ver et en appelant Hamid. Il a serré davantage sa main sur ma bouche et a envoyé son souffle dans mon oreille :

— Hamid ? Ne me dis pas qu'il ne t'a pas prévenue ?

Ce qu'il a dit m'a sonnée. Il me l'a mise d'un coup sec. Je n'ai plus bougé jusqu'à ce qu'il finisse et qu'il remonte son pantalon avant d'aller s'asseoir en allumant une cigarette avec son briquet orange, la braguette encore ouverte. Il a fumé en prenant son temps avant de se lever pour partir. Ce n'est que quand il est sorti que j'ai remarqué que la bouteille et le paquet de cigarettes sur la table étaient encore pleins. Et que Hamid n'avait aucune raison d'aller en racheter.

Quand Hamid est rentré, il s'est dirigé vers l'armoire, comme si de rien n'était. Il ne m'a pas demandé pourquoi son copain n'était plus là. Il rentrait les mains vides, et ses yeux n'ont pas croisé les miens.

Cette nuit est passée au ralenti. Hamid et moi, on s'est tapé dessus jusqu'au matin. Il essayait bien d'arrêter la lutte mais je revenais à la charge sans arrêt. Je ne l'ai pas laissé se reposer une seconde. Après, il était lui aussi comme un fou.

On s'est entre-tués mais nos coups étaient sourds. On se cognait d'un mur à l'autre. De temps en temps, on se retrouvait sur le lit, pour reprendre notre souffle avant de nous lever à nouveau et de nous en mettre plein la figure.

En serrant les dents, je lui demandais de me dire pourquoi il avait fait ça. Et de rage, je pleurais. Et plus les larmes coulaient et plus je le détestais. Et je me détestais de me donner en spectacle devant lui. Je voyais ma mère qui me disait qu'il n'était pas un homme pour moi, je pensais aux autres filles du quartier qui ne s'étaient pas battues pour lui et qui m'avaient laissée le prendre, je pensais à mon insistance pour être avec lui…

Au bout d'un moment, je n'avais qu'une idée en tête : qu'il s'introduise en moi. La grimace de dégoût qu'il a affichée quand je lui ai dit de le faire a achevé de me mettre hors de moi :

— C'est moi qui suis dégoûtante ? Tu m'as donnée à l'autre saleté et c'est moi qui suis dégoûtante ? Ben, maintenant, tu vas me baiser. Tu vas me baiser et tu vas la mettre là où était ton copain tout à l'heure.

J'étais déchaînée et je n'arrivais pas à respirer tellement ça me faisait mal que le souffle entre dans ma poitrine. Plus il me repoussait et plus je le harcelais en lui collant mes seins sous le visage. Je les prenais dans mes mains, je les serrais. Je les mettais sous son nez :

— Tiens, regarde, c'est comme ça qu'il a fait ton copain. Oui, celui qui était là tout à l'heure et qui m'a niquée.

Il essayait de tirer sur mes poignets pour enlever mes mains de mes seins. Sur le coup, je ne sentais rien mais je les ai pressés tellement fort, cette nuit-là, que le lendemain, j'ai trouvé la trace violette de mes doigts en biais sur ma poitrine.

Ce qui m'a achevée et là où j'ai abandonné la lutte, c'est quand, en essayant d'attraper son sexe pour en écraser les boules, j'ai senti qu'il était dur. Avec tout ça, il bandait. Et là, ça y est. Je n'avais plus envie de me battre.

À l'instant où il m'a sentie me vider de ma force, il a eu envie de me prendre. Il a déchiré ce qui restait de ma robe et il m'a montée en me traitant de tous les noms et en m'arrachant les cheveux.

Je n'ai plus bougé jusqu'au matin.

*

À l'aube, il était sorti. Mon bras a allumé la télévision et je suis restée assise devant, sans bouger, à regarder le film de la veille tourner dans mon esprit. Je n'ai ni mangé, ni été aux toilettes, ni changé mes vêtements.

Quand il est rentré pour se changer et ressortir, ma tête est restée braquée sur la télévision. Je l'avais éteinte mais mes yeux n'ont pas bougé. Dans le reflet de l'écran, ils l'ont vu – en se changeant – faire tomber de l'argent de la poche de sa veste. Mon argent. Un petit paquet, qu'il a ramassé et compté devant l'armoire. Un petit paquet duquel il a sorti un billet de deux mille rials sur les quatre qui le composaient. Il l'a posé sur la table sans me parler et il est ressorti. Je n'ai pas bougé ni tourné les yeux vers lui.

Quand il est revenu, on était le lendemain. Ou le surlendemain. Ou qui sait quel jour on était ? Et qui ça intéresse de toute façon ?

Ce même jour s'est répété en boucle, flou comme la brume ; avec la télévision qui s'éteint et s'allume de temps en temps. Et de l'eau et du pain que mes doigts portent à ma bouche.

Aujourd'hui encore, bien que des années soient passées, il arrive à mon esprit de retourner à ce moment. Pendant ce temps, moi je reste dans ma chambre à ne rien faire.

*

La deuxième fois que ça s'est produit, c'était quelques jours après. Il m'a prise par surprise. Ce fils de pute ne m'a pas laissé le temps de réaliser ce qui se passait. Moi si j'avais pu réfléchir, sortir de mon coma, ou si j'avais juste la moitié des capacités que j'ai maintenant, je ne l'aurais jamais laissé s'approcher de moi à nouveau.

Ce soir-là, il venait de rentrer.

— Qu'est-ce qu'il y a pour dîner ? il a demandé.

Je n'ai pas répondu.

— Je t'ai parlé, qu'est-ce qu'on dîne ? il a répété, sur un ton énervé.

— Je ne sais pas ce qu'on dîne, j'ai dit sèchement et en le regardant pour la première fois depuis l'événement.

— Si tu ne sais pas ce qu'on dîne, qui va le

savoir alors ? il a répondu en grimaçant et en se tournant du côté de la porte, comme pour sortir.

Puis, d'un coup, il s'est retourné vers moi, comme s'il avait été remplacé par un autre.

— Tu sais quoi, arrêtons ces histoires.

Il s'est approché de moi. Il a tendu ses bras dans ma direction et il m'a dit :

— Ça suffit. Viens.

Il était calme.

— Viens, il a répété.

Il m'a amenée à lui en m'attrapant par les avant-bras. Je l'ai repoussé en le frappant.

Il a redit :

— Viens.

Je l'ai griffé. Il a continué :

— Viens.

Ce va-et-vient a duré un moment. Puis son calme a eu raison de moi. Il m'a amenée à lui et je n'ai rien dit. Ses bras étaient rugueux mais son torse était chaud.

— Écoute, arrêtons nos histoires. Tout ça, ce n'était rien du tout.

— …

— Fais-moi confiance, ça va passer.

— …

— Je te l'ai dit, des choses comme ça, ça arrive souvent.

— …

— Tu ne le sais pas parce que tu ne sais rien encore de la vie. Mais ce n'est rien.

— … *(Rien du tout ? Te faire confiance ?)*

— Écoute, on peut se sortir de la merde dans laquelle on est.

— … *(Ça va passer ? Et si c'était toi, ça passerait aussi ?)*

— On peut se faire de l'argent rapidement et passer à autre chose.

— … *(Sortir de cette merde ? Il y a une merde plus grosse que celle dans laquelle tu m'as mise ?)*

— J'ai préparé un plan impeccable. Il me faut juste de quoi le faire. Je n'ai pas besoin de grand-chose. Et tu sais, je n'ai personne sur qui m'appuyer à part toi.

— … *(Et moi, d'abord, est-ce que tu m'as trouvée dans la rue pour me faire ça ?)*

— Je ne peux compter sur personne d'autre que toi.

— … *(J'ai une famille, j'ai des frères, je n'ai besoin de personne, moi.)*

— En plus, tu sais, ça va passer vite. J'ai juste besoin d'un peu d'argent pour acheter de la marchandise, et après ce sera fini.

— … *(Moi, je n'ai pas besoin de toi, moi.)*

— Écoute, je connais un autre gars, Abdenbi, il a des contacts en Chine. Tu lui passes une commande, il achète les choses et il te livre quand ça arrive…

— … *(Et moi, si je le voulais, je vous montrerais à toi et à tes plans foireux comment on fait de l'argent.)*

— Tu choisis toi-même la marchandise…

— … *(Moi, tu ne me connais pas encore.)*

— Tu ne te retrouves pas avec un lot comprenant des choses qui se vendent et d'autres non.

Dès le départ, tu sais ce que tu vas recevoir. Si après cette opération, je te demande encore quelque chose, coupe cette langue qui te parle.

— … *(Couper cette langue qui me parle ? Tu ne me connais vraiment pas. Ce n'est pas la langue que je vais te couper, moi.)*

— Et tu peux trouver des acheteurs avant de passer la commande. Pas tous, mais une partie des acheteurs. Ou alors tu peux te mettre d'accord avec des gens qui ont des magasins pour qu'ils t'achètent la marchandise à l'avance.

— … *(Et maintenant, on fait quoi ? Toi, tu as dit à ta mère que tu étais devenu milliardaire, et moi, je fais quoi, moi ? Je vais chez Mouy et je lui raconte tout ?)*

— Il y en a plein à Derb Omar. Je vais chez eux, on se met d'accord et je commande après.

— … *(Ou alors je lui raconte des fables sur la Chine ?)*

— J'ai bien réfléchi et je sais ce qui va marcher. J'ai pensé à prendre des sandales, des seaux, des porte-savonnettes, des petits tabourets, des tapis en plastique, des serviettes.

— … *(Toi d'abord, ta putain de grande gueule, tu ferais mieux de la fermer. D'où tu sais ce qui marche et ce qui ne marche pas ?)*

— Que des ustensiles pour le hammam. Tout le monde va au hammam. Les femmes, les hommes, les enfants. Tout le monde.

— … *(Si ce n'était moi, tu aurais encore les pieds dans la bouse.)*

— Il n'y a personne qui n'aille pas au bain.

— … *(Oui, tu as bien réfléchi, ça se voit.)*

— Regarde-moi, ça va marcher. Il me faut juste de quoi me lancer. Après, toi et moi on oublie tout ça et on passe à autre chose.

— … *(Et cette poisse qui te suit, tu y as pensé à cette poisse ?)*

— Je ne me ferai pas avoir comme la dernière fois. Tu ne peux pas imaginer à quel point ça m'a démoli, parce que je ne te dis pas ce que j'ai en moi. Cette fois, c'est toi qui vas t'occuper de tout. Tu vas garder l'argent. Et tu viendras avec moi pour le remettre en mains propres à l'importateur.

— …

— Écoute, le plan est ficelé. Tu n'as à avoir peur de rien. Et regarde-moi, tu es tout ce que j'ai. Tu le sais ? N'est-ce pas que tu le sais ?

— …

— Je ferai tout ce que je peux pour qu'on soit bien et que tu vives mieux que chez tes parents. C'est juste une mauvaise passe. Je sais ce que je fais. Je te jure que le plan va marcher.

— …

— Regarde-moi bien. On ramasse de quoi démarrer et après on refait deux ou trois opérations d'importation comme celles-là avec notre capital et on reprend à zéro.

— … *(Tu as de la chance que je ne sois pas une de ces pétasses. Une de celles qui te prennent, te vident de ton suc et te lâchent.)*

— Après, on retourne à Berrechid. J'ai pensé

qu'on pourrait ouvrir un café-restaurant. Et on y travaillera tous les deux.

— … *(Te vider de ton suc. Des pédés comme toi, c'est ce qu'il leur faut.)*

— Je ne te l'ai pas dit mais j'ai été là-bas avant-hier. J'ai trouvé un local.

— … *(Oui, il te faut une pétasse qui te prenne et te lâche. Comme une merde.)*

— Moi, je m'occuperai de l'approvisionnement et de la caisse.

— … *(Oui, c'est ça. Prendre la caisse. Celle qui te laisserait prendre la caisse, elle est folle, elle n'a pas de cervelle. Celle qui te laisserait prendre la caisse, c'est une ânesse.)*

— Toi, avec la cuisine que tu fais, tu vas tout de suite éclater tous les autres. Aucun autre restaurant de Berrechid n'aura plus de clients.

— … *(Toi, des comme toi, la caisse, elle reste loin d'eux. Des comme toi, leur limite, c'est la serpillière. Ils ne la dépassent pas. Ou alors, ils font le service, au plus.)*

— Et on sera aux côtés de nos familles. Ta mère sera contente. Et fière.

— … *(Tu t'es imaginé à la caisse en train de poser devant les clients ? Habillé en costume et les cheveux plaqués au gel ?)*

— Qu'est-ce que tu dis alors ?

— … *(Cette caisse, personne ne va la toucher à part moi. Et si tu penses que je vais cuisiner pour tes clients, tu rêves éveillé.)*

— Tu m'entends ?

— … *(Moi, avant l'ouverture, j'embauche des

filles, mes cousines du côté de mon père, je leur apprends ce qu'il faut en cuisine, et je passe aux choses sérieuses.)

— Je te l'ai dit : après on passe à autre chose. Et on ne parle plus jamais de cette histoire.

— … *(Et toi, le minable, je te jure que tu n'approcheras jamais l'argent.)*

— Dis-moi, s'il te plaît, ne restons pas comme ça. Jmiaa…

— Et si tu te fais entuber par le mec à qui tu vas avancer l'argent ?

Et c'est de là que c'est parti. Je ne saurais pas te dire pourquoi j'ai dit oui. La seule chose que je peux dire, c'est qu'à cette période, je n'aurais pas su distinguer mes orteils de mes doigts. Il a ramené un de ses copains, qui a fait ce qu'il avait à faire et qui est reparti. Quand Hamid est rentré, il tenait dans les mains une boîte à chaussures qu'il a posée dans l'armoire et dans laquelle il a mis des billets. Après cette nuit, c'est arrivé plusieurs fois et à chaque fois, ça se passait de la même manière. Il sortait. Un de ces « amis » rentrait. On le faisait. Son « ami » sortait et Hamid revenait avec des billets qu'il mettait dans la boîte.

Très vite, on a déménagé parce que la voisine commençait à poser des questions et on a pris une chambre dans une maison où la propriétaire n'habitait pas sur place. On n'aurait pas pu trouver mieux : elle était en Suède et elle ne rentrait qu'une fois par an.

C'est dans cette maison que j'ai commencé à boire et à fumer. Et à me maquiller. Et à me faire tailler des jellabas qui moulent mes fesses. Et à provoquer la jalousie de Hamid chaque fois que j'en avais l'occasion.

Parce que cette boîte de merde ne se remplissait jamais. On n'avait jamais assez d'argent pour acheter la marchandise. Et chaque fois que je demandais où on en était, il me sortait un truc nouveau.

Depuis cette période aussi, je ne me passe plus de savon en bas. Un jour qu'on s'était disputés parce que la boîte s'était encore vidée, j'ai juré. J'ai juré que Hamid ne tremperait sa saleté de bite que dans une saleté de chatte. Que c'était tout ce qu'il méritait. Et tous les autres aussi. Je ne le lui ai jamais dit. Et je ne l'ai jamais dit à personne d'ailleurs.

Après ça, j'ai commencé à faire n'importe quoi. Juste pour le provoquer. J'ai laissé l'épicier me monter presque sous son nez. J'ai laissé son commis qui venait changer la bouteille de gaz me prendre. Le gardien de la rue. Tout le monde. Tout ce qui avait un bâton entre les jambes pouvait m'approcher. Et plus ça énervait ce connard, plus ça me faisait du bien.

J'ai fini par lui demander d'arrêter d'amener les gens à la maison et de m'emmener au bar avec lui. Je l'ai collé, je l'ai harcelé jusqu'à ce qu'il dise oui. Une fois qu'on a eu passé ce stade, c'en était fini de nous deux. Là-bas, je me tortillais devant tout ce qui bougeait, sous ses yeux et avec le sourire. Les gens pensaient qu'il était mon maquereau. Et en réalité, il était quoi d'autre ? Mon mari ? Ça faisait longtemps qu'il ne restait que nos familles pour y croire.

*

On a vécu longtemps comme ça. Nos jours étaient semblables. Je me levais tard. Je passais l'après-midi à la maison à regarder la télévision pendant qu'il partait je ne sais où. À la tombée du jour, je m'habillais et je sortais une bouteille devant laquelle je me posais avec mes cigarettes. C'est à cette époque que j'ai commencé à grossir. Je ne me préparais plus à manger mais j'enflais comme un ballon de baudruche. Quand il rentrait, on sortait sans se parler. On prenait un taxi et on allait dans les bars. Au bout d'un moment, il ne venait même plus avec moi. En rentrant, je mettais l'argent dans la boîte et voilà.

Notre routine s'est interrompue quelques mois quand je suis tombée enceinte de ma fille. Mais au total, on est restés huit ans comme ça. La volonté de Dieu est insondable : alors que je n'ai jamais eu de problème, en me protégeant au gré des demandes des clients, ce n'est que quand j'ai décidé de commencer à prendre la pilule que je suis tombée enceinte. J'avais vingt-six ans.

Ce pédé de Hamid, quand je lui ai dit que j'allais donner la vie, a voulu prendre ses jambes à son cou. Mais je ne lui en ai pas laissé l'occasion. Je lui ai dit que j'irais au commissariat et que je dirais tout à la police. C'est là qu'il est resté. De toute façon, ses doutes à lui, c'est de la connerie. Avec les cheveux qu'a ma fille, personne d'autre ne peut être son père.

Quelques jours après qu'elle était née, je l'ai confiée à ma mère. Je n'arrivais pas à m'occuper d'elle et Hamid ne supportait pas qu'elle ait tout le temps la bouche ouverte à pleurer pour rien. Moi, je n'aimais pas qu'elle tète mon sein, je n'aimais pas changer ses couches. Je n'arrivais même pas à l'embrasser, tu imagines ?

Deux ans encore sont passés, on allait chez nos parents de temps en temps pour les fêtes et on faisait comme si tout était normal. Mouy qui se mêle de tout, surtout quand ça ne la regarde pas, me posait à longueur de journée des questions sur ma mauvaise mine, mes cheveux gras, ce corps qu'elle voyait quand on allait au hammam et qui ressemblait de plus en plus à de la harira*. Elle n'arrivait pas à comprendre que mon mari fasse de l'argent et que moi, je me laisse aller comme ça. Je ne lui disais rien mais elle finissait quand même ses phrases par un : « Si tu m'avais écoutée… »

Un jour, Hamid est arrivé avec la deuxième idée du siècle : il allait immigrer clandestinement en Espagne. Ça faisait longtemps que je n'écoutais plus ce qu'il disait. Je ne faisais même pas semblant de m'y intéresser tellement j'en avais rien à foutre. Et de l'Espagne, il parlait, de plus en plus. L'Espagne par-ci, l'Espagne par-là. Et finalement, son truc est devenu sérieux. Il a arrêté les joints d'un coup. Et il a mis toute son énergie à préparer son départ et à ramasser de l'argent pour les passeurs. Il allait traverser par Tanger, dans une barque comme celles qu'ils montrent aux informations. Pleines de Noirs et de déracinés.

Je suis sûre qu'il a fait des coups fourrés pour avoir de l'argent. Dieu seul sait quoi. Et ce ne sont pas mes affaires. Je n'ai réalisé que tout ça était vrai que quand il m'a appelée un jour d'Espagne pour me dire que ça avait marché.

Je ne te souhaite pas de ressentir ce que j'ai ressenti ce jour-là. C'était comme si tu avais gardé la meilleure bouchée d'un tagine pour la fin et que quelqu'un était venu te l'arracher des doigts au moment même où elle s'apprêtait à entrer dans ta bouche. À ce moment, tu restes là, la bouche ouverte, les doigts pleins de vide et un goût creux au fond de la gorge.

Quand il est parti, Mouy a voulu que je retourne habiter avec elle mais je n'avais pas la force de la voir et de l'entendre tous les jours. Alors pour avoir la paix, je lui ai dit qu'il fallait que je reste à Casa pour gagner un peu d'argent et aider Hamid qui avait donné tout son argent pour s'installer en Espagne. Elle a soupiré encore plus fort que d'habitude et elle est passée à autre chose.

*

Un matin où elle m'a appelée pour me demander pour la centième fois si j'allais bientôt venir m'installer avec elle, elle m'a dit avant de raccrocher :

— Fais attention, ma fille. Cette nuit, j'ai fait un rêve.

À l'époque, je ne l'écoutais jamais quand elle se mettait à raconter ses histoires :

— J'ai rêvé d'un oiseau blanc assis sur un pont. Il faisait un discours devant une foule en colère.

— Et alors ? j'ai répondu, ironique.

— Je n'ai pas aimé la tête de cet oiseau.

— Et ça t'embête parce qu'il avait l'intention de demander la main de Samia ? j'ai ajouté, en riant franchement.

— C'est ça, rigole et n'écoute pas ce que je dis. Jusqu'à ce qu'il t'arrive quelque chose.

Et elle a raccroché.

Depuis ce jour, Mouy me fait peur. Je me doutais qu'elle avait des prémonitions mais là, j'allais en avoir la confirmation. Quelques heures après, Hamid m'a appelée d'Espagne pour me parler de son remariage avec une autre. Quand j'ai été chez le fqih* en ville pour lui demander de décrypter pour moi ce rêve, il a tout de suite vu la chose. L'oiseau blanc, c'était Hamid. Le discours, c'était l'annonce du mariage. Et la foule en colère, c'était moi. Il ne m'a pas dit les choses aussi clairement parce que les fqihs, ils parlent toujours en code mais quand j'y ai pensé, c'est clair que c'était ça.

Hamid voulait que je lui accorde le divorce

pour qu'il puisse se marier là-bas et obtenir ses papiers. Moi, dès que j'ai entendu ça, je l'ai envoyé paître. J'ai juré sur la tête de ma fille et de ma mère que je ne le lui accorderais pas même si la terre et le ciel se séparaient. Après tout ça, le divorce était la seule chose qui me manquait.

Puis j'en ai parlé aux filles, les amies que je m'étais faites depuis que j'avais commencé à sortir. D'ailleurs, je connais Samira depuis cette époque. Elle et moi, même si on se crêpe le chignon de temps en temps, on s'entend bien. Elle ne parle pas si elle n'a rien à dire. Il n'y a qu'avec son pédé de flic qu'elle fait n'importe quoi.

Les filles, elles m'ont toutes dit d'une seule voix de lui donner son divorce pour donner une chance à ma fille. Peut-être que si je l'aidais sur ce coup, il se souviendrait d'elle quand il aurait ses papiers ? Et qu'il la ramènerait en Espagne ? Et qu'elle pourrait grandir là-bas, aller à l'école et se construire un avenir ? Et qu'elle sortirait de la mélasse qu'on a ici ?

De toute façon, je ne suis pas bête. Je sais qu'un jour ou l'autre il l'aurait obtenu, ce divorce, ou qu'il aurait reçu l'autorisation de prendre une deuxième femme. Quitte à envoyer ses bakchichs par barque.

Alors j'ai dit oui.

Je lui ai fait jurer sur la tête de sa mère qu'il ferait ses papiers à Samia quand il aurait les siens pour qu'elle parte avec lui. J'ai demandé et obtenu le divorce pour abandon de domicile conjugal et il s'est remarié.

Quand j'ai annoncé à ma mère que j'avais divorcé, j'ai cru qu'elle allait devenir dingue.

— Mais tu es folle ou quoi ? Tu n'as pas de cervelle ? elle a hurlé au téléphone.

— Mouy, depuis le jour où tu as vu Hamid, tu dis que c'est un raté et maintenant, tu me dis que je suis folle de divorcer ? j'ai répondu, avant de lui expliquer pourquoi je l'avais fait.

— Comme toujours, il n'y a que toi qui saches quoi faire.

Et elle m'a raccroché au nez.

*

Quelque temps après, j'ai repris Samia. Elle avait quatre ans. Ma mère ne voulait pas me la rendre. Moi, je ne sais pas pourquoi je voulais la reprendre. Je ressentais un truc bizarre : c'est comme si deux grandes mains chaudes sortaient de mon ventre et se tendaient vers la petite pour l'envelopper et la remettre dedans.

Pour être honnête, et je te l'ai déjà dit, je regrette un peu de ne pas la lui avoir laissée. Elle commence à grandir et j'ai peur qu'une âme charitable vienne lui ouvrir les yeux sur ce qui se passe ici. Ou qu'elle comprenne toute seule. Et qu'elle raconte des choses qui éveillent les soupçons de Mouy.

À l'école déjà, cette connasse de maîtresse me regarde bizarrement. Elle me détaille tout le temps de bas en haut comme si c'était à chaque fois la première fois qu'elle me voyait.

Bon, c'est vrai que les maîtresses regardent tout le monde de haut. Surtout les femmes. Avec les hommes, elles ne sont pas comme ça. Quand c'est un père qui vient leur parler, tu te demandes où part leur superbe. Moi, je n'ai pas peur d'elles, ni de personne d'ailleurs. Je suis polie quand j'y vais et je lui parle avec respect, en baissant la tête. Et c'est tout.

L'année dernière, Samia avait un maître. Avec eux, c'est plus simple, tu peux toujours t'arranger. Un homme est un homme. Une fois que tu sais qu'il te regarde d'abord à travers sa braguette, tu n'as plus de problèmes. Mais les femmes, ce sont toutes des vipères.

La première fois que j'ai vu la maîtresse de Samia, au début du premier trimestre, elle m'a demandé dans quoi travaillait mon mari.

— Dieu ait son âme. Il est mort quand je la portais encore dans mon ventre, j'ai répondu en lui montrant la petite d'une tête de veuve.

— Dieu ait son âme, elle a soufflé comme si ça s'était produit hier. Et de quoi il est mort, le pauvre ? elle a ajouté en faisant claquer sa langue contre son palais.

— Une poutre lui est tombée dessus, il était chef de chantier dans la construction. C'était un moment difficile à passer. Il ne restait de lui que des miettes.

Elle a essayé de faire une tête compatissante

alors que je voyais bien que ce que je décrivais la dégoûtait.

La petite, même si ça la dérange que je raconte des histoires, elle ne dit rien. Et puis, elle sait qu'il m'arrive d'inventer n'importe quoi pour avoir la paix. Elle parle à son père de temps en temps. Je lui avais donné mon numéro Maroc Télécom quand Samia est revenue vivre avec moi. Et il l'appelle pour demander de ses nouvelles.

Maintenant, il habite dans une ville qu'ils appellent Mataró et il attend toujours ses papiers. Moi, j'ai peur d'une seule chose : que cette pute de sa femme – une Marocaine de Meknès qui fait des ménages là-bas – nous crée des complications. Ou qu'elle tombe enceinte et qu'elle commence à dicter sa loi. Ou qu'elle lui fasse bouffer quelque saloperie qui le rendra encore plus con qu'il n'est. On a assez d'histoires pour qu'elle en rajoute !

Alors je le surveille bien. Et comme il n'y a personne qui le connaisse aussi bien que moi, je lui envoie de l'argent et c'est avec ça que je le tiens. Je sais d'expérience qu'il n'y a rien qu'il aime autant. Surtout s'il n'a pas à bouger le petit doigt. À sa place, qui ouvrirait la bouche pour se plaindre ?

AOÛT

Mercredi 18

Je suis toujours à Berrechid. Ils sont passés à l'heure de ramadan maintenant. Je ne comprends plus rien à leurs histoires. Ils ont dit qu'on allait passer à l'heure d'été pour faire des économies, on n'a pas bronché. On a même trouvé ça bien. Ensuite ils ont décidé de passer à l'heure du ramadan parce que c'est l'été. Je n'ai pas bien compris mais pourquoi pas ? Le problème, c'est que là, il paraît qu'après ramadan, on repassera à l'heure d'été et après l'Aïd, à l'heure d'hiver. Ils se foutent de nous ceux-là ou quoi ? On n'a rien d'autre à faire, nous ? Règle ta montre. Dérègle ta montre ! Re-règle ta montre. Il ne faut pas faire chier les gens non plus !

Hamid le gardien vient de m'appeler parce qu'il a parlé à la nièce des voisins qui est rentrée au Maroc pour son travail. Elle insiste pour me voir rapidement.

— Je lui ai dit que tu viendrais dans trois ou

quatre jours parce que ce qu'elle a à te proposer m'a semblé intéressant, m'a annoncé Hamid, de la voix lointaine de celui qui appelle du fond d'une grotte.

Je n'entendais pas bien et je lui ai répondu en pensant à autre chose. Je regardais une pub à la télévision tout en me disant que c'était le meilleur moment de l'année pour prendre un numéro Méditel. Je ne me fais pas trop d'illusions sur la qualité de leur réseau mais qui sait ? Au moins, j'aurais profité de la promotion de ramadan.

— OK, c'est bon, j'ai répondu, en réalisant que je ne savais pas avec quoi j'étais d'accord, et j'ai enchaîné : Attends, répète, tu lui as dit que je viendrais ? Tu n'es pas un peu cinglé de parler en mon nom ? En plus, je ne peux pas venir dans trois ou quatre jours. Je suis prise maintenant.

Elle m'a laissée poireauter presque un mois l'autre gamine et là, elle veut que je vienne en urgence. Qu'elle attende elle aussi ! En plus, reportage ou pas, ces gens qui habitent à l'étranger ils sont tous un peu dérangés.

En ce moment, comme c'est l'été, il y en a plein ici. Tous les émigrés qui ont des maisons dans notre quartier rentrent pour passer ramadan avec la famille. Et ce n'est pas la peine que je te dise à quel point ils sont insupportables.

L'autre jour, Khadija, la voisine qui a une maison à côté du bloc électrique et qui habite en Belgique, a laissé son fils chez nous parce qu'elle avait une course à faire et qu'elle voulait que Mouy le garde. Son gamin, c'est un feu sur pattes. Il n'arrêtait pas de sauter. Il volait de matelas en matelas. Avec ses chaussures en plus. Quand ma mère l'a vu, et à un moment où il ne s'y attendait pas, elle l'a ramassé en passant son bras droit sous les jambes du morveux à l'instant pile où il s'élançait pour sauter. Il a roulé deux ou trois fois en l'air avant de s'écraser sur la dalle, comme les gars que tu vois à la télévision qui font des plongeons. Il a de la chance qu'il y ait eu le tapis.

Depuis ce jour, quand sa mère l'amène à la maison, il se tient tranquille.

Mais en Belgique, nous a dit sa mère, l'école lui a envoyé les flics parce qu'elle l'avait tapé alors qu'il ne la laissait pas faire le ménage tranquillement. Le gamin l'a dit à la maîtresse et la maîtresse a appelé la police. Après ça, comment tu veux qu'ils soient normaux les gamins ?

Alors moi, cette tarée qui veut me parler, je ne fais pas trop confiance.

— Dis-lui qu'on se voit après l'Aïd, il ne reste plus grand-chose d'ici là, j'ai dit à Hamid.

— Mais ramadan a commencé il y a à peine sept jours. De quoi tu parles ?

Sans attendre ma réponse, il a enchaîné :

— Écoute, moi, ce n'est pas mon problème. J'ai fait ce que j'avais à faire en te transmettant le message. Je vais lui dire pour l'Aïd et après vous ne me mêlez plus à cette histoire. Qu'est-ce que j'y gagne au final ?

Et il a raccroché.

Mouy me tourne autour pour essayer de deviner à qui je parlais. Moi, je la vois venir mais je la laisse tourner en rond. Ça lui apprendra à me faire chier. Tout à l'heure, elle m'a pris la tête pour que je fasse le ménage avec elle au lieu de rester devant la télévision « à lever comme une brioche ».

— À qui tu parlais ? elle dit en faisant celle qui se fiche de connaître la réponse et en continuant à astiquer le mur en dessinant des zéros de sa main droite.

Dieu seul sait ce qu'elle frotte. C'est tellement propre que la seule chose qui puisse arriver à ce stade, c'est que le zellige déteigne sur son chiffon.

Avec l'habitude, le mensonge sort tout seul :

— Rien, c'est un gars qui me trouve du travail dans les sociétés. Il veut me placer chez une dame qui cherche quelqu'un pour mettre de l'ordre dans son bureau.

— Et c'est comme ça qu'on parle à des gens qui font du bien pour toi ? Tu parles comme si je ne t'avais pas éduquée, elle dit en tournant sa tête de mon côté.

Sa main a arrêté de tournoyer sur le mur.

— Quel bien il fait ? Je lui donne mes deux premières semaines de travail pour payer son service. Je ne vais pas être polie en plus.

Et chacune retourne à ses affaires. Moi à ma télévision. Et elle à son sport.

SEPTEMBRE

Lundi 20

Les jours s'envolent. Le vent passe et les emporte avec lui. Ramadan est parti. L'Aïd est parti. Samia est restée chez ma mère. Moi, je suis rentrée à Casa.

Je suis avec Hamid dans la cabane et on attend la nièce des voisins.

La journée est presque finie mais il fait encore chaud. Et ma jellaba me serre. J'ai beau tirer sur les côtés et vers le bas pour que le tissu descende et que ça serre moins, ça ne marche pas. Et avec cette transpiration, l'intérieur de mes cuisses est tout mouillé.

Cet été ne veut pas passer.

À la télévision, le roi est encore en train de rencontrer quelqu'un. Il est en Amérique. Le président français – ou je ne sais pas qui est ce gnome – est posé à côté de lui. Sincèrement, je ne dirais pas non pour un travail comme celui du patron. Je voyagerais, je verrais ce qui se passe dans le monde et je ferais des discours à la télévision.

Mais à vrai dire, moi, si j'étais à sa place, je n'irais pas dans les coins paumés où il va d'habitude. Là, il est en Amérique, ça va. Mais d'habitude, il faut voir où il traîne : Ben Guerir, Assilah, Ouarzazate. Je n'ai rien à faire avec ça, moi. Moi, je n'irais que dans les pays classe. L'Europe, la Suède, le Brésil, le Mexique. Les déserts, je les laisserais aux gueux.

Je ne porterais jamais les mêmes vêtements deux fois de suite. Et si j'ai chaud comme maintenant, je m'en taperais. Je me baladerais nue. Et si quelqu'un n'est pas content, qu'il vienne me le dire. Ou alors mieux que me balader nue, je ferais installer une clim portable sur moi. Je la mettrais au-dessus de ma tête dans un chapeau, elle me refroidirait du matin au soir et des cheveux aux pieds. Et ça, c'est seulement si j'ai envie de me bouger. Parce que la plupart du temps, ce que je ferais, c'est m'allonger tranquille face à la télévision, dans une pièce bien réfrigérée, et je n'en bougerais pas jusqu'à ce que l'hiver revienne. Ceux qui voudront me voir sauront où me trouver.

— *Tfou !* dit Hamid en regardant du côté de la porte où le rideau est à nouveau tombé. Je vais passer ma vie à surveiller ce putain de rideau ?

Dans cette fournaise, même le clou ne supporte pas que le tissu frotte contre lui.

— Laisse tomber, c'est tout, je réponds en

mettant mes cendres dans le petit verre à thé qu'on a posé au milieu de la table.

Hamid ne l'a toujours pas réparée, cette table. Tant pis pour lui. Il comprendra qu'il aurait dû le jour où il goûtera le baiser brûlant du thé sur ses cuisses.

— Ces odeurs d'aisselles ne te suffisent pas. Tu veux y ajouter celle de la clope ? il me dit.

— Ce n'est pas la peine de t'énerver contre moi, je réponds en tournant la tête de son côté. On sait tous s'énerver.

Et je pose mes coudes sur mes genoux en écartant mes jambes parce que c'est la seule position dans laquelle je trouve mon repos.

C'est à ce moment qu'elle arrive. Un bâton tout maigre qui glisse la tête par le rideau et qui l'ouvre d'un mouvement fluide. Un bâton tout maigre avec, au bout, des cheveux longs et en pagaille. Hamid m'avait dit que c'était la nièce de la voisine mais je ne me l'imaginais pas aussi jeune. Elle est debout devant la porte et elle nous regarde en souriant. Plein de grandes dents. Bouche de cheval ! Je la regarde. Elle continue de sourire. J'ai envie de rire. Et moi qui me l'imaginais comme Nassima Lhour* : blanche, bien portante, bien habillée, coiffée, avec du maquillage, qui prend soin d'elle. En un peu plus jeune bien sûr ; mais enfin, une vraie journaliste !

À la place, debout devant moi, j'ai un balai qui s'est teint les poils en marron. Elle est tellement maigre qu'on dirait qu'elle va se casser en deux.

Hamid se lève :

— *Salam,* comment tu vas ? il dit en attrapant le rideau pour le maintenir ouvert pour elle et en se grattant la tête. Il fait chaud ici.

Ce connard de Hamid m'a fait passer l'envie de rire. On dirait qu'il a été pris en flagrant délit de baise. Il tourne la tête de mon côté, puis du sien.

— Je vais bien, et toi ? elle lui répond en me souriant.

Et elle me tend la main pour que je la serre.

— *Salam,* ça va ?

— Ça va, je réponds en lui tendant le bout de mes doigts et en la regardant du coin de l'œil.

Ce pédé de Hamid reste planté là à nous fixer. Je ne sais pas ce qu'il attend. Il se décide à aller chercher une chaise de l'extérieur. Quand il revient, il l'installe à l'entrée et il attrape le rideau de douche qu'il passe par-dessus la tringle pour le coincer une fois pour toutes.

— Alors, comment tu vas ? Tout va bien ? Ta famille va bien ? Et comment va ta tante, ça va ? Ça fait un moment que je ne l'ai pas vue. Attends, je vais te faire un thé, lui dit Hamid, sans faire de pauses.

Et il se lève pour remplir une nouvelle théière. Je ne sais pas ce qu'il a, il fait n'importe quoi. Il ne trouve pas le sucre, il cherche le thé, il le trouve et il le perd pendant qu'il coupe la menthe. Mais il continue à parler en même temps. Bouche de cheval est à l'aise. Moi, de temps de temps, je lève la tête de l'écran vers l'un d'eux. Mais je ne parle pas. Je ne la connais pas et c'est à elle de commencer, pas à moi.

Quand il finit de faire le thé, il s'assoit, il lui sert un verre et il reprend ses questions. Et quand ils savent que tout va bien des deux côtés, ils s'arrêtent enfin de parler. Je ne sais pas comment ils ont fait mais en une vingtaine de minutes, ils ont abordé tous les sujets de la terre.

Sa famille qui est restée en Hollande, et elle qui est là chez sa tante. Hassan, le mari de la tante, qui a fait un accident de voiture. Hamid qui le sait et qui lui a d'ailleurs recommandé un tôlier pour redresser la portière. Le tôlier qui a gonflé la facture à bloc parce que c'est l'autre qui est fautif et que de toute façon, c'est l'assurance qui paie. Elle, dont l'avion a eu du retard. Le froid qui est arrivé tôt cette année en Hollande. Son parler est fluide. Ça change des émigrés. Ceux-là, on a l'impression que leur langue est en rééducation : elle a besoin de béquilles pour arriver au bout d'une phrase.

— J'ai oublié mes cigarettes, je monte les chercher et je reviens, elle dit en tournant la tête du côté de Hamid.

Hamid n'a pas de clopes mais je sais qu'il attend que je lui propose des miennes. Je prends mon paquet de la table et je le lui tends en continuant de regarder l'écran.

— C'est cool, tu es sûre ? elle demande. Je la sens tourner la tête de mon côté : J'oublie toujours mes cigarettes quelque part.

Le roi serre des mains. Je fais un signe de tête pour montrer que j'ai entendu ce qu'elle a dit. Le naze de Hamid répond :

— Ça arrive. L'essentiel, c'est de ne pas oublier qui on est.

La philosophie, c'est tout ce qui nous manque ! Et il est sérieux en plus ! Là, il prend une pose de beau gosse, il fait un sourire et il enchaîne comme s'il était Imad Ntifi*:

— Alors, ta tante m'a dit que tu préparais quelque chose ?

— Je travaille sur un film. Pour le cinéma. Je suis réalisatrice.

Elle tire une longue bouffée sur sa cigarette et elle reprend :

— J'ai déjà participé à plusieurs courts métrages et j'ai travaillé aussi avec des réalisateurs qui ont fait des longs.

Et elle ajoute :

— Ce film que je veux faire, c'est mon premier long métrage. J'ai presque fini d'écrire mon histoire. Mais je voudrais m'assurer que ce n'est pas à côté de la réalité. C'est pour ça que je voulais rencontrer…

Et elle tourne la tête de mon côté parce qu'elle ne connaît pas mon prénom.

Ça, ça m'énerve ! Tu as déjà vu ça, toi, une réalisatrice qui ne connaît pas le prénom des gens avec lesquels elle est assise ? Je la regarde de travers, avec la tête des mauvais jours.

Encore une fois, Hamid répond à ma place :

— Jmiaa. Elle s'appelle Jmiaa.

— Bon, tu sais quoi ? Je te propose un truc. Si tu es OK et que tu n'as rien à faire tout de suite, on va sortir de la cabane et on va aller ailleurs. Pour prendre un peu l'air.

Et elle se lève comme si j'avais dit oui.

— Il y a un endroit où tu veux aller ? Ou alors, on peut juste faire un tour en voiture si tu préfères.

Elle est debout sous la tringle. Je ne sais pas quoi faire. À vrai dire, le cinéma, c'est encore mieux que la télévision ou un journal. Elle demande à Hamid où est la clé de la voiture. Il la décroche du tableau où sont accrochées toutes les clés du garage et la lui tend. Elle la prend et elle se tourne vers moi :

— On y va ?

Je me lève et je la suis. Elle monte dans une Renault blanche toute pourrie, démarre, et on sort du garage à fond. La voiture vole dans les rues bondées de Casa. Bouche de cheval slalome sans ralentir. Tout en conduisant, elle cherche à droite et à gauche et finit par trouver des cigarettes dans la boîte à gants. Elle se redresse, en prend une et jette le paquet à l'arrière :

— J'ai été très contente le jour où Hamid m'a dit que tu voulais bien me rencontrer.

Elle tourne la tête de mon côté, avec son sourire et sa cigarette éteinte qui passe les vitesses.

— Il y a un endroit en particulier où tu voudrais aller ou c'est kif-kif pour toi ?

— Kif-kif.

Honnêtement, une bière maintenant, ça ne ferait pas de mal. Elle regarde devant elle et elle dit :

— Ce qu'il faut par ce temps, c'est une bière bien glacée.

Et elle ajoute :

— C'est ce qu'il faut, non ? Qu'est-ce que tu en dis ?

— Je ne sais pas. Comme tu veux, moi je n'ai pas de problème.

— Je connais un endroit bien, juste ici.

Elle n'a pas encore fini sa phrase que la voiture prend un virage serré sur la gauche et fonce entre les palmiers qui bordent l'avenue. Les cafés sont pleins. Ici, il n'y a presque que des étudiants. Il y a ceux qui font semblant d'étudier et il y a ceux qui ne se donnent pas cette peine. Ceux-là traînent dans le parc, avec leurs looks d'adeptes du rock. Et leurs coiffures de cinglés. Crête-moi par-ci, crête-moi par-là… Et cocorico par-ci, cocorico par-là. Ce sont tous des fils de bin-ou-bin*.

Les bin-ou-bin, on les appelle comme ça avec les filles, ce sont ces mecs qui ne savent pas quelle direction prendre dans la vie. Il y en a plein dans le quartier. Ce sont ces pères de famille respectables qui vont au travail tous les matins. Ils ont une maison, une voiture, des enfants, mais ils n'ont pas de vie. Ce ne sont pas des barbus mais en même temps, ils ne font pas d'écarts : pas d'alcool, pas de femmes, rien.

S'ils sont comme ça, ce n'est pas parce qu'ils

le veulent, détrompe-toi. C'est juste parce qu'il leur manque des couilles pour choisir d'être dans un camp ou dans l'autre. Alors, ils font tout et son contraire. Ils cloîtrent leurs femmes à la maison mais leur confient leur solde à la fin du mois. Ils interdisent à leurs filles de sortir le soir mais les laissent s'habiller en Nancy Ajram* pour aller au lycée. Ils aimeraient bien ne plus avoir de filles comme nous à la sortie du marché mais quand ils passent, ils baissent la tête parce qu'ils n'oseraient jamais nous dire de dégager. Celle qui sait y faire avec eux, c'est la vieille folle de Mbarka. Il n'y a qu'une chose à savoir sur elle, comme on dit entre nous en rigolant : elle n'a qu'une moitié de cervelle qui fonctionne. Et ce n'est pas la bonne. Comme elle est folle, elle peut faire ce qu'elle veut. Mais moi je pense qu'elle fait semblant pour que les gens la laissent tranquille.

— Hé, J'ai-peur-de-mon-ombre, regarde un peu par ici ! elle hurle dans la direction du pauvre bin-ou-bin qui ne sait pas encore que c'est à lui qu'elle parle.

Tout le quartier tourne la tête, le gars inclus, pour la voir lever sa jellaba et avancer son bassin vers l'avant dans un geste obscène. Et elle éclate ensuite de rire, avec sa bouche sans dents. Nous, on se marre aussi, pendant que le gars baisse la tête et se casse en faisant semblant de n'avoir rien vu.

— Ça y est, on est arrivées.

Le doigt de Bouche de cheval pointe un bar

dans lequel je ne suis jamais allée mais que je connais.

On se gare en face et on entre. Elle dit bonjour à deux ou trois personnes. Il y a des hommes et des femmes, c'est mélangé par ici. Il fait sombre comme dans tous les bars et il y a de la musique occidentale. Elle prend une table au fond, derrière une première salle et un deuxième bar. C'est comme s'il y avait un bar dans le bar.

On s'assoit. Elle se lève pour acheter des clopes parce qu'elle a oublié les siennes dans la voiture et elle revient avec un paquet de Camel qu'elle pose sur la table :

— Moi, je vais prendre une Spéciale. Et toi, tu veux quoi ?

— Moi aussi.

Comment j'ai fait pour me retrouver là aussi vite ? Je ne sais pas.

Elle revient avec deux bières dans la main. Elle se pose et elle boit direct à la bouteille. Elle allume encore une clope et elle se met à parler.

*

Il y a une bonne douzaine de bouteilles devant nous. Et des restes de Camel et de Marvel s'enlacent dans les cendres. Cette gamine est complètement flippée. La vérité, c'est que je les sous-estimais, elle et sa taille de moustique. Mais elle tient bien l'alcool.

Elle m'a raconté un peu l'histoire de sa vie et

surtout celle du film sur lequel elle travaille. Je n'ai pas tout retenu mais l'essentiel c'est qu'elle est partie en Hollande quand elle avait trois ans et que depuis, elle vit là-bas. Qu'elle est rentrée tous les étés au Maroc. Que là, elle va produire le film entre la Hollande et le Maroc. Que son film, c'est l'histoire d'une fille qui vit de ses passes. Que la fille, dont elle n'a pas encore choisi le prénom – mais elle hésite encore entre Jamila et Hasna –, rencontre un homme. Qu'ils se plaisent et qu'ils se mettent plus ou moins ensemble. Qu'ils font un coup dans une bijouterie. Qu'après que le coup a réussi, il la roule dans la farine et qu'il se sauve. Et qu'à la fin il y a un retournement de situation que je n'ai pas bien compris. Et je ne sais plus qui l'emporte. Bref, une histoire, quoi.

Et moi dans tout ça, elle veut juste que je lui tape la causette pour que je lui dise comment se passe ma vie. C'est tout. Et pour ça, elle a prévu un petit budget mais qu'avant et le plus important de tout ça, c'est qu'elle veut savoir ce que j'en pense.

— De quoi ?

— De ce que je t'ai dit. Le film, l'histoire, ça… Tout, quoi.

— C'est bien. Ça me semble bien. Je ne sais pas.

— Est-ce que ça peut arriver dans la réalité cette histoire ? Est-ce qu'une fille peut tomber amoureuse d'un gars, se retrouver à voler une bijouterie avec lui ? Est-ce qu'elle peut se faire entuber de cette manière ? Qu'est-ce que tu en penses ? Je ne sais pas si ça peut arriver de cette manière, moi.

— …

On dirait une cinglée. Elle a ramassé ses cheveux en une longue queue sur le haut de son crâne. Et elle a des mèches qui dépassent sur le côté.

Je ne vois pas pourquoi elle se fait chier avec des questions pareilles. Tu veux faire un film, fais le film et c'est tout. Elle reprend :

— En attendant, j'imagine bien l'ambiance. Ce serait tourné dans le quartier de ma tante. À côté du marché avec le décor tel qu'il est. Même si on change des choses, on ne touchera pas aux poubelles. Tu as remarqué l'animation qu'il y a à côté ? Attends, je vais chercher de la bière.

Elle slalome entre les fils de bin-ou-bin et revient avec les bières.

— Bon, tu sais quoi, de toute façon, on a encore le temps. On en parlera un autre jour.

À vrai dire, elle me donne un peu le tournis avec son rythme.

*

On est restées au bar jusqu'à ce qu'ils nous demandent de sortir. Il devait être une heure du matin. Je ne sais pas combien de Spéciale on a descendues mais à la fin, les bières recouvraient la table.

Là, on est assises dans la voiture face à l'eau. On ne peut pas faire la différence entre le ciel et la mer. Au niveau du sable, on y voit plus clair. Les vagues, quand elles cassent, forment de grosses tresses de laine blanche. J'ai le nez plein de l'odeur de la mer. Et je suis tellement stone que je n'ai pas le tournis.

En sortant du bar, Bouche de cheval n'a pas pris la route du quartier. Elle a tourné à gauche. Moi je m'en fous. J'ai bien bu alors j'aurais pu aller à Tanger si elle le voulait. Elle a conduit jusqu'à arriver à la corniche. Il n'y avait presque personne dans les rues. En arrivant, on a roulé doucement en regardant du côté de la mer et on a longé la côte, jusqu'à Sidi Abderrahmane, pile face à l'île.

Là on ne parle pas, mais quand on était encore au bar, elle a beaucoup parlé. Je n'ai pas compris tout ce qu'elle a dit.

En gros, elle est venue au Maroc pour finir d'écrire son histoire et pour localiser les endroits où elle va tourner. Elle va ensuite retourner en Hollande pour chercher l'argent chez un producteur pour produire le film. Cette partie par exemple, je ne l'ai pas bien comprise.

Si elle n'a pas d'argent, comment elle va faire son film ? Et comment ça se fait qu'elle ait presque fini de l'écrire ? Et pourquoi elle veut garder les rues de Casa comme elles sont pour que tout soit comme dans la vraie vie ? Les gens, pourquoi ils regardent les films, à son avis ?

Pour voir des saletés ou pour changer d'air et rigoler un peu ?

C'est peut-être la fume qui lui donne des idées pareilles.

Au bar, pendant que je mangeais, je sais qu'elle s'est levée pour se taper des joints. Elle a dû en prendre deux ou trois pendant la soirée. La première fois, elle s'est levée et elle est revenue avec les yeux un peu dans le flou, bien calmée. On ne me la fait pas à moi.

D'ailleurs, ses mains, ce sont des mains de fumeuse. Maigres et foncées et un peu jaunes au bout. Là, elle vient d'en rouler un autre. Le premier qu'elle fait devant moi. Elle me le tend pour que je l'allume.

— Non, je ne fume pas.

— Tu n'aimes pas ? elle dit en l'allumant et en tirant une longue bouffée, les yeux mi-clos, la tête légèrement relevée.

— J'ai des antécédents avec le shit. C'est une longue histoire, je lui dis en revoyant la tête de mon mari devant moi.

— Mmmh..., elle fait en tirant une taffe.

Je ne sais pas si c'est parce que le shit est bon ou en réaction à ce que j'ai dit. Mais je m'en fous. Il fait bon, la balade était cool et je suis bien. On n'a pas de musique dans la voiture. Il y a une radio mais le bouton de la FM tourne dans le vide. Il n'y a que le lecteur de CD qui marche mais elle n'a pas de CD, elle a dit.

— La prochaine fois, j'emmènerai Nass El Ghiwane*. Tu aimes bien ?

— Je ne les connais pas. Ils font du chaabi* ?

— Non. Quand tu les entendras, tu me diras s'ils te plaisent. Tu aimes quoi, toi ?

Sans réfléchir, je lui réponds :

— Najat Aatabou, tu connais ?

— Qui ne connaît pas Najat Aatabou ?

Elle re-tire une bouffée et regarde vers l'eau. Moi aussi j'allume une clope.

Quand j'y pense, finalement, je n'ai presque pas parlé ce soir. On a mangé, on a bu, on s'est promenées. On a parlé un peu de Hamid. Du quartier. Et c'est tout. En sortant du bar, elle a pris mon numéro et m'a demandé s'il y avait un moment où je préférais qu'elle m'appelle.

Ensuite, elle m'a demandé de réfléchir à ce que je pensais du film et à si je voulais travailler avec elle ou pas. Et elle a aussi dit que si j'acceptais, on parlerait d'argent plus tard.

Et ensuite elle a roulé vers ici. C'est tout.

Mardi 21

Quand je suis posée dans ma chambre, je ne ferme jamais la porte à clé. Ça me saoule de devoir me lever chaque fois qu'une des filles a besoin de mon plateau, de ma bassine ou de je ne sais quoi d'autre. Celle qui veut quelque chose toque, entre et ressort. Et si elles trouvent la porte fermée, elles reviennent plus tard. Et chez elles, c'est pareil. On vit comme de bonnes voisines.

Le seul problème avec ce système, c'est que tu ne contrôles pas les allées et venues. Tout à l'heure pendant que je dormais, Samira est entrée, ça m'a réveillée et le sommeil n'arrive pas à me reprendre. Samira est assise sur le matelas de Samia. Elle fume une cigarette.

Je ne suis pas encore habituée à cette chambre sans ma fille. Quand je me réveille, je tourne les yeux du côté de son matelas pour le trouver vide. Halima aussi est partie. Mais elle, c'est tant mieux, je ne pleurerai pas pour elle.

Finalement, elle a eu de la chance. Au moment où Houcine lui a dit de ramasser ses affaires pour dégager le plancher, elle a trouvé une voie de sortie. Honnêtement, je comprends Houcine de l'avoir virée. Elle prenait de la place pour rien. Imagine : personne ne la regardait dans la rue ! Ou peut-être juste les pervers. Ça les intéressait parce qu'avec ses airs de sainte, elle devait leur rappeler leur sœur ou leur mère ou va savoir.

Moi, avant d'aller à Berrechid, j'ai parlé à Houcine pour qu'il la sorte de chez moi. Franchement, j'ai été très patiente. Personne n'aurait pu être plus patient. Je lui ai donné du temps, je l'ai accueillie comme si elle était chez elle. Une autre n'aurait pas attendu une semaine pour la mettre dehors. Parce qu'avoir quelqu'un comme ça tout le temps sur le dos, ce n'est pas possible. C'est vrai, elle est gentille et bien élevée… Mais ce n'est pas la question. Toujours déprimée, toujours mal quelque part, toujours cette tête de chien battu…

L'autre jour, avant d'aller chez ma mère pour ramadan, je l'ai laissée chez moi mais j'ai dit à Houcine de la sortir. De toute façon, je crois que c'est ce qu'il avait prévu. Elle ne lui rapportait pas assez avec sa gueule de poisse. Et aussi, je crois qu'il n'aimait pas la baiser. C'est ce qu'il fait avec les nouvelles. Genre, il leur apprend à travailler. Nous, il nous charge de la théorie et lui il s'occupe de la pratique. Le temps de s'en lasser. Pour être honnête, pour un mec qui est censé t'apprendre des trucs, il ne sait pas vraiment y faire. Il n'y a que l'autre naze de Hajar qui ne s'en rende pas compte. Quand il l'appelle, elle est contente. Elle a l'impression d'avoir gagné quelque chose. Comme quand tu ramasses les capsules de Coca et qu'à la fin, c'est toi qui rafles le scooter.

Moi, ça fait longtemps qu'il ne me tourne plus autour et c'est tant mieux. Même si de temps en temps, ça lui prend. Il se fait une tournée et il arrose ici et là, comme le chien quand il veut dire au chien des voisins qu'il est ici chez lui.

Avec lui, je me comporte comme avec tous les autres. Si je suis d'humeur, je fais semblant d'être contente : je braie, je miaule, je le laisse me tirer par les cheveux ou me rougir la peau du cul. Sinon, j'attends que ça passe. Et je me fais rougir la peau du cul quand même. Houcine, il n'est pas mon genre. Il est trop maigre et il est tellement recousu que j'ai l'impression qu'il va se déchirer au moment d'expulser. Je n'ai pas demandé à la Halima ce qu'elle en pense d'ailleurs. Mais à vrai dire, je m'en fous. Ce qui m'intéresse en ce qui la concerne, c'est qu'il l'ait giclée.

Donc l'autre jour, le commis de la droguerie est venu changer la serrure de l'armoire pour m'en mettre une nouvelle, j'ai enfermé mes affaires dedans et j'ai pris la route.

C'est Samira qui m'a raconté la suite. Quand Houcine lui a parlé, Halima a ramassé son sac et elle est partie. Elle n'a pas crié, elle n'a pas pleuré. Elle n'a rien fait : elle a juste pris ses affaires, elle a rendu mes clés à Samira et elle est partie. Apparemment, depuis un petit moment, la Halima rendait visite à une vieille tante du côté de son père qui habitait dans la vieille ville, derrière l'horloge. Elle habitait seule, dans une chambre. Cette tante – peut-être qu'elle était sénile – a accepté de revoir Halima malgré son histoire avec son mari. Et Halima était contente parce qu'elle sentait qu'elle allait devenir folle avec ce travail.

Tu sais, je crois qu'au début elle a cru que c'était facile. Genre tu viens, tu fais ça et tu passes à autre chose. La pauvre ! Si c'était aussi simple, pourquoi il n'y a pas plus de filles dans les rues ? Pourquoi on a toutes autant d'affinités avec la bouteille ? Pourquoi les filles s'adonnent aux joints ? Pourquoi les filles tapent des cachets ? Pourquoi tout ça ? C'est qu'il faut des couilles pour pouvoir faire ce travail. Et tout le monde ne les a pas.

Halima, elle n'a pas tenu six mois. Avant de

partir, elle a raconté à Samira qu'elle allait vivre avec sa tante et qu'elle allait travailler pour une association dans leur quartier. Je ne sais pas si elle a déjà trouvé un travail ou pas.

— Au fait..., je dis en me tournant vers Samira, tu sais où elle va travailler, Halima ?

— Pas exactement, mais elle a parlé de quelque chose qui avait un rapport avec un truc religieux chez l'illuminé qu'ils appellent Cheikh Yassine*, tu le connais ?

— Ouais...

— Ou une association pour les enfants défavorisés ou un truc dans le style. Ou les deux. Je ne sais plus.

Samira s'est emmêlé les pédales. Mais je n'ai pas besoin d'en savoir plus. En résumé, c'est encore une idée de paumée ou de quelqu'un qui n'a rien trouvé de mieux à faire. Aider les autres ! Comme si son bordel à elle ne lui suffisait pas.

— Et ils vont la payer ? je demande à Samira.

— Je ne sais pas. Elle m'a dit qu'elle donnerait aussi des cours particuliers aux enfants dans le quartier pour les aider dans leurs devoirs.

Samira est assise sur le matelas et moi je me suis levée pour ranger, plier les vêtements et les mettre dans l'armoire.

Je réponds à Samira tout en coinçant un pull sous mon menton :

— Ha ha ha ! Elle va habiter au Maârif pour penser qu'elle aura des voisins qui auront les moyens de payer pour des cours dans la vieille ville ?

Elle est vraiment débile cette Halima.

— Je n'en sais rien. Et pourquoi pas ? Si ses prix sont à la portée des gens, pourquoi pas, me répond Samira.

Et elle ajoute :

— Après tout, elle est logée. Elle doit juste rentrer de quoi prendre de la nourriture si elle veut que sa tante la garde. Elle peut même faire le cours à quatre cents rials. Et n'en faire que trois par jour. Elles ne mangeraient pas avec mille deux cents rials par jour ? Elle et sa tante ?

— Si, c'est vrai, je réponds.

Et après un moment :

— Oui, mais si quelqu'un la reconnaît là-bas ? Quelqu'un qui serait passé par ici ? je dis en faisant un petit clin d'œil. Lui aussi elle va lui donner des cours ? je continue en tortillant mon cul vers le visage de Samira qui se marre.

Samira me donne une tape sur les fesses et on rit un bon coup.

— Bon, on s'en fout de Halima. Tu étais où hier ? elle me demande en tirant une bouffée.

— Tu sais que de temps en temps je disparais, je réponds, évasive.

Je ne vais rien dire à Samira à propos de Bouche de cheval. Samira est très méfiante. Elle douterait de son ombre, la pauvre. De temps en temps, c'est bien. Mais des fois, elle en rajoute. Comme je ne réponds pas vraiment, Samira me dit, en faisant un regard entendu à celle qui a pris du plaisir la veille :

— Il y a du Chaïba là-dessous.

Un mensonge servi sur un plateau. Je n'aurais pas trouvé mieux.

— Oui, c'est ça, j'ai vu Bouchaïb.

Je change de sujet :

— Il faut que j'aille au hammam. Je n'y ai pas été hier. Tu viens avec moi ?

— Non, vas-y sans moi. J'ai mes règles. De toute façon, je dois partir, et elle éteint sa cigarette en rejetant la fumée qui lui reste dans la gorge.

*

Je passe devant le Majestic avant d'aller au hammam. Hamid n'est pas à sa place. Je vois de loin son collègue qui lave une voiture. C'est celle de la juive d'en face. Pas celle qui a perdu sa fille. L'autre, qui passe son temps à aller et venir avec son sac de sport. Tu pourrais croire qu'elle prépare les Jeux olympiques tellement elle s'entraîne.

Je continue ma route. Hamid va m'appeler pour avoir des nouvelles de ma sortie avec Bouche de cheval, c'est sûr. Moi, je le vois venir, lui. Bientôt, il va se mettre à parler d'argent. Ses petits sourires à Bouche de cheval et ce thé qu'il lui a préparé et ces cigarettes qu'il voulait qu'elle fume, ça se voit de loin qu'il soigne son mouton. Il ne va pas me la faire à moi.

À vrai dire, je suis d'accord avec lui. Tout le monde fait tourner sa marmite. Moi, je ne lui demande qu'une chose : c'est qu'il prenne une double commission du côté de la gamine parce que s'il compte faire des sous sur mon dos, on ne va plus s'entendre lui et moi.

D'ailleurs, je vais le lui dire pour qu'on soit au clair : chacun négocie pour sa pomme.

*

Je viens de raccrocher avec Bouche de cheval. Et ça a été tout un film de trouver mon téléphone, je ne te raconte pas. Je commence à peine à fréquenter ces gens du cinéma que je frise déjà la folie.

Tout à l'heure, en rentrant du bain, je me suis mise à laver mes culottes, comme d'habitude. J'ai mis Najat sur un titre que j'aime bien.

L'histoire, c'est une fille qui est sûre que son mec la trompe. Elle s'en rend compte à une lueur qui trouble son regard et qui le trahit. Elle, elle s'est déjà entièrement donnée à lui, et elle ne comprend pas qu'il se soit laissé mettre le grappin dessus par une autre. Et elle ne veut pas lâcher l'affaire parce qu'elle est convaincue qu'ils sont faits pour être ensemble. Alors elle raconte ça à toutes les oreilles qui veulent bien l'entendre. Rien que de l'ordinaire. Mais malgré ça, j'aime bien ce titre. Je l'écoute souvent. Et à fond comme toujours.

Honnêtement, ça fait du bien d'avoir un toit

sous lequel tu fais ce que tu veux sans qu'aucun fouineur ne s'immisce dans ta vie. Chez moi, depuis que ma fille et Halima sont parties, il n'y a que les murs, la télévision, la radio et moi. Je fais ce que je veux. Et je monte le volume au maximum. Si ça me plaît, je peux le monter jusqu'à ce que mes tympans crèvent.

Bref, tout à l'heure, j'ai mis le CD en marche et je me suis mise à faire ma lessive. Quand la chanson a commencé, je chantais penchée au-dessus de la bassine. J'avais des culottes dans les mains et je les frottais légèrement l'une contre l'autre en fredonnant avec la musique. À un moment, je me suis levée pour danser un peu, parce que j'aime bien danser. Surtout quand le rythme est entraînant comme dans ce morceau. J'ai légèrement accéléré et j'ai commencé à taper des pieds sur le sol en bougeant mes hanches de droite à gauche. Paf, paf, paf.

La chanson s'est accélérée. Le public a applaudi Najat en poussant un cri qui a fait le bruit d'une vague. Et là, le mec a rencontré sa maîtresse.

Ça a commencé à chauffer.

Moi, j'ai suivi le rythme. En tapant de plus en plus fort avec mes pieds et en envoyant mes hanches de plus en plus loin.

La fille a regardé le mec dans les yeux et elle s'est rendu compte que quelque chose clochait.

J'ai commencé à tourner sur moi-même, les bras tendus sur les côtés, avec mes pieds qui continuaient à cogner le sol. Des tapes bruyantes. Qui claquaient fort.

La fille lui a dit de disposer d'elle, elle lui a dit qu'elle lui appartenait.

Moi, je suivais le rythme. Je me suis mise à tourner, tourner, tourner, comme une toupie, les bras ouverts comme un oiseau qui vole, une culotte dans chaque main.

La fille lui a rappelé qu'elle s'est donnée au premier sourire. Elle lui a dit qu'elle devenait folle.

Moi, j'ai enlevé mon foulard parce qu'il commençait à me comprimer la tête. Je l'ai serré fermement autour de mon bassin en le nouant sur le côté. Et mes fesses se sont mises à battre l'une contre l'autre comme les ailes d'un papillon.

La fille lui a dit qu'elle avait placé sa confiance en lui.

J'ai enlevé ma barrette pour libérer ma chevelure. J'ai commencé à balancer ma tête de droite à gauche avec mes cheveux, encore mouillés de l'eau du bain. Ils ont envoyé des gouttes rouler sur mes épaules et s'écraser sur les murs.

Là, la fille a demandé pardon à Dieu d'être sortie du droit chemin. Elle a dit que la cause de tout ça, c'est sa beauté et ses beaux yeux noirs.

Moi, à ce moment, j'ai décollé. Toute cette histoire, ce n'était plus mon problème. J'ai eu envie de mettre une culotte dans ma bouche. Comme ça. J'ai mordu dedans de toutes mes dents et j'ai plongé les mains dans la bassine pour en récupérer d'autres. Les bnader* se sont excités. Mes oreilles ont fait corps avec leur peau tendue.

Je me suis mise à accrocher des culottes un peu partout sur moi. Autour de mon foulard au niveau de mes fesses. Au niveau de ma gorge. Dans ma robe aussi. J'en ai rempli ma bouche, j'en avais dans les mains. Partout ! À cet instant, ce que disait la fille ne m'intéressait plus. Qu'elle raconte tout ça à son cul ! Moi, j'avais envie de sauter. Les culottes pendouillaient de partout en suivant le rythme. Mes fesses bondissaient en l'air. Ma tête tournait sur mon cou. Ma robe se soulevait en rythme avec mes pieds qui avaient envoyé valser mes sandales contre le mur.

Et dans ce boucan et cette fête, j'ai entendu le téléphone sonner. Je ne sais pas comment j'ai fait. J'ai tendu l'oreille. J'ai regardé partout en essayant de suivre le son mais je n'arrivais pas à le pister.

Najat continuait la nouba. Je me suis mise à chercher sous les coussins. Je les ai mouillés avec mes mains. Les culottes qui pendaient de ma hanche dégoulinaient. Mes cheveux pissaient sur mes bras.

Je me suis arrêtée, debout au milieu de la pièce. J'ai regardé autour de moi, j'ai vu des culottes aux quatre coins de la pièce, de l'eau sur le mur et les matelas. Ma tête m'a renvoyé l'image d'un chien qu'on aurait sorti de la mer pour l'emmener droit chez moi. On l'aurait posé au milieu de la pièce et on lui aurait dit : « Tiens, vas-y, ébroue-toi maintenant. » C'était comme ça.

J'ai été prise par un de ces rires ! Ça jaillissait de moi comme le feu d'artifice. Ça ne voulait pas s'arrêter. Une explosion après l'autre. J'ai ri, ri, ri, comme une dingue. Et en pensant aux dingues, j'ai eu peur que quelqu'un n'entre, qu'il me voie comme ça et qu'il pense que j'étais devenue folle. Et qu'ensuite, ils m'envoient au Trente-Six*. Alors, j'ai sauté vers la porte pour tourner la clé dans la serrure, les cheveux au ciel. Je me suis fait penser à une démone ou à Aïcha Kandicha*. Ça m'a fait rire encore. Je me suis appuyée, dos à la porte, et pendant que je glissais vers le sol, les éclats sortaient en continu. Je ne sais pas combien de temps je suis restée comme ça, assise par terre.

En fait, j'ai ri jusqu'à ce qu'il n'y ait plus de rire. Et quand mon dernier hoquet est parti, j'ai essuyé mes larmes et, entre nous, j'ai remercié Dieu pour cette paix. Ça faisait longtemps que je n'avais pas rigolé comme ça. Peut-être même que je n'avais jamais rigolé comme ça.

Les gens, ils disent que ce n'est pas bien de rire autant. Ils disent que si tu ris comme ça, c'est que Satan n'est pas loin. Qu'il a profité de ton inattention pour t'approcher. Qu'il se tient prêt à bondir.

Moi, ce que je dis, c'est que ceux qui racontent ça, ce sont des complexés à deux balles. Ils font ça parce qu'ils s'emmerdent dans leur vie et qu'ils veulent que tout le monde vive comme eux, dans la misère.

Ou alors, ce sont des paranoïaques qui ne peuvent pas supporter que quelqu'un rie parce qu'ils se sentent visés.

Ou alors, si ça se trouve, celui qui a sorti cette connerie, c'était juste un naze avec une dentition pourrie. Et après, nous on se tape ces fables parce qu'il n'a pas été se faire redresser les dents quand il était encore temps. Sale pédé !

En fait, tu veux que je te dise la vérité ? À supposer même que toute cette histoire soit vraie, la vérité, c'est que je m'en tape. Parce que Satan, bien sûr qu'il est dans les parages ! S'il n'est pas dans mes parages à moi, il est dans ceux de qui ?

*

J'ai fini par retrouver le téléphone en rangeant le désordre que j'avais mis. Il était sur l'étagère dans la cuisine. Je n'ai pas reconnu le numéro qui était affiché à l'écran. Alors j'ai remis l'appareil à sa place. Si quelqu'un me veut, qu'il dépense au moins l'argent d'une communication.

Bouche de cheval a rappelé. Elle voulait savoir si j'avais réfléchi. Elle m'a parlé clairement en allant droit au but. J'aime bien les gens directs, qui te parlent sans détour. Ce que j'avais à faire, elle m'a expliqué, c'était simple. J'allais me poser avec elle quelques soirs, discuter, lui raconter ce que j'étais prête à raconter sans me forcer. Raconter juste ce qui vient. Elle allait me poser des questions, auxquelles je répondrais si je voulais et si ça ne me posait pas de problème. Et si c'était possible, je lui ferais rencontrer une ou deux de mes amies. Mais seulement si c'était possible, sinon, ce n'était pas un problème. Elle serait déjà très heureuse si j'étais d'accord. Elle m'a dit aussi qu'elle avait sorti soixante-dix mille rials de budget sur son film pour moi. Elle a dit qu'elle les sortait de sa poche. Comme si ça me faisait quelque chose de savoir d'où elle les a. L'essentiel, c'est qu'elle les sorte, non ?

Moi, avant qu'elle ne m'appelle, je savais déjà que j'allais dire oui. Je le savais depuis le moment où je l'ai vue dans la cabane. Et quand on a été au bar, ça n'a fait que confirmer que j'allais travailler avec elle. Je savais que ce qu'elle allait me demander serait simple pour moi. Qu'est-ce qu'on ferait ensemble ? On parlerait en tapant des bières ? On tournerait en voiture dans le quartier quand les gens normaux seraient en train de dormir ? Je lui raconterais des histoires et elle s'en servirait pour faire la sienne ? Si c'est comme ça, je peux participer à des films toutes les semaines s'ils le veulent.

Quand on a parlé d'argent, je n'ai pas cherché à négocier. D'abord parce que quand elle a rappelé, j'étais avec Samira et que je ne lui ai rien dit de tout ça. Ensuite parce que j'ai bien l'intention de picoler, fumer et boire à l'œil tout le temps qu'elle sera là. Et crois-moi, je vais m'arranger pour que ça lui double son budget.

Jeudi 30

Entre l'autre jour et maintenant, on est sorties plusieurs fois Bouche de cheval et moi. Quatre ou cinq fois, je ne sais plus. La plupart du temps, on est sorties de nuit. Dans cet endroit où on a été la première fois. Ils l'appellent La Mygale.

À chaque fois, on a bien rigolé et je lui ai raconté un peu les histoires de ma vie. On a fait un tour dans le quartier. Je lui ai montré de loin les filles. Je lui ai parlé du pédé du Aziz de Samira. Je lui ai parlé de Halima. C'était ça mon travail avec elle : l'aider pour qu'elle puisse finir d'écrire son histoire. Plus facile que ça, il n'y a pas.

Maintenant elle est en Hollande. Elle est partie hier. Elle va signer un contrat avec des gens qui vont lui donner de l'argent pour faire son film. Et elle va revenir quand ce sera prêt. Je ne sais pas quand mais elle ne devrait pas trop tarder. Elle m'a dit qu'elle m'appellerait quand elle serait de retour. Et elle a dit d'accord pour que je vienne un jour pendant qu'ils seront en train de filmer. De ce que je sais d'elle maintenant, c'est une femme de parole. Elle va le faire.

En attendant, j'ai repris ma vie de tous les jours. Rien de neuf.

Sauf que Chaïba est souvent dans les parages

et qu'il y a un peu de parasites entre nous en ce moment.

Comme j'étais occupée avec la jument ces derniers jours, je n'ai pas eu de temps pour lui. Et lui n'a pas aimé ça. Et moi je n'aime pas qu'on se mêle de ma vie. Même si la personne s'appelle Chaïba et même si je la connais depuis la nuit des temps.

Avant-hier par exemple, j'étais avec Bouche de cheval et Chaïba m'a appelée pour qu'on se retrouve. Ça faisait déjà deux fois qu'il appelait au mauvais moment et que je ne pouvais pas y aller. Je crois que ça l'a énervé que je ne rapplique pas au premier coup de fil, comme si je n'avais pas de vie.

Et avant ça aussi, il m'a pris la tête. Pendant ramadan, il m'avait appelée pour qu'on se voie alors que j'étais encore à Berrechid. Lui, en général, il disparaît pendant ramadan. Il reste terré chez lui. Il n'arrive pas à gérer le jeûne : sans cigarettes, sans café, sans alcool, il n'est bon à rien. Mais quand il m'a appelée, il aurait voulu passer me voir. Va savoir s'il en a eu marre de sa femme et de ses trois singes de gosses. Honnêtement, je le plains. Je les ai aperçus un jour en ville. Ils étaient avec lui dans la voiture et ils sautaient à l'arrière. Au moment où ils sont passés devant moi, Bouchaïb était tourné vers eux et il gueulait. Sa femme, qui était assise à côté de lui, regardait devant elle avec les lèvres pincées. Elle a une de ces tronches ! Je comprends qu'il passe son temps dehors.

Bref, je ne pouvais pas le voir mais quand je suis rentrée à Casablanca, je l'ai rappelé. On s'est vus. On est sortis. On a été à l'Atomic, un autre bar où je vais parfois quand je suis avec lui. Ce soir-là, il n'avait pas emmené ses deux débiles de Saïd et Belaïd. On était assis au fond de la salle. Tous les deux, tranquilles.

Toute la soirée, on a bu, on a ri, on a mangé. Il m'avait apporté un foulard, rouge et jaune. Un beau foulard. Après, on a été chez moi. On a laissé sa voiture à côté du bar et on est rentrés à pied. On faisait du bruit dans la rue et on ne marchait pas très droit. Arrivés à mon immeuble, on a monté les escaliers et traversé le couloir en parlant et en riant. On était bien allumés, on a commencé à se toucher.

Au deuxième étage, il était tellement excité qu'il a voulu me prendre sur place. Il avait baissé sa braguette et quand je l'ai repoussé en lui disant d'attendre qu'on soit arrivés, il a décidé de pisser dans le couloir. Ça tombait bien, on n'était pas loin de la porte de Okraïcha. D'un mouvement des yeux, je lui ai indiqué la porte pour qu'il se soulage dessus. Dès qu'il a fini, je l'ai vite tiré de là des fois qu'elle nous entende et qu'elle sorte en furie. Même à deux heures du matin, on ne sait jamais. On a bien ri.

On a continué à monter les escaliers en se cognant à droite et à gauche, à moitié parce qu'on avait bu et à moitié parce qu'on ne regardait pas devant nous, tout occupés qu'on était à glisser nos mains sous nos vêtements. Une fois chez moi, on n'a pas attendu le matelas. À vrai dire, j'étais bien chaude aussi. Il m'a attrapée à peine la porte fermée, on s'est mélangés comme de la pâte à pain et on s'est jetés au sol en roulant, comme ce qu'on faisait avec mon mari quand on était jeunes.

Quand on a fini, on s'est assis sur le tapis avec nos vêtements et les cheveux en pagaille, on a fumé une cigarette. Et après on a eu faim. Une faim énorme. J'ai fait des œufs à l'huile d'olive dont on s'est goinfrés avec du pain froid. Les œufs lui ont donné la force de se lever, difficilement malgré tout. Il a plus ou moins rentré sa chemise dans son pantalon, s'est mis debout et est parti en titubant.

Il est revenu cinq minutes après. Je crois qu'il n'était pas encore arrivé en bas quand il a décidé de remonter.

Quand il a toqué, j'étais déjà échouée sur mon matelas, en jellaba parce que je n'avais pas réussi à mettre ma chemise de nuit. Je me suis levée en passant mes deux mains sur mes cheveux pour les aplatir avant d'ouvrir. Je l'ai trouvé appuyé contre le cadre en bois, un peu courbé vers l'avant. Il avait du mal à se tenir droit. Un bout de chemise sortait de son pantalon, ses lèvres, énormes, pendaient et je l'ai trouvé quelconque. Je ne l'ai pas supporté.

— Qu'est-ce que tu as oublié ? je lui ai dit, en me tournant vers l'intérieur de la chambre pour voir si je trouvais quelque chose.

— Ben tiens, j'ai oublié le plus important.

Il a fait une tentative borgne de sourire, il a mis sa main dans la poche droite de son pantalon lâche et m'a tendu des billets tout fripés. Je ne me suis pas supportée.

OCTOBRE

Mardi 19

Hamid (mon mari, pas l'autre naze du garage) est sorti du trou qui l'avait aspiré. Ça faisait un moment que je n'avais pas entendu parler de lui. Quand j'ai vu un numéro s'afficher avec plein de chiffres, je savais que c'était un appel de l'étranger. J'ai pensé que c'était Bouche de cheval qui voulait me donner des nouvelles.

Quand j'ai répondu, je suis tombée sur lui. Il avait besoin d'un million et demi, il a dit. Il avait trouvé un mec qui pouvait lui faire ses papiers rapidement pour trois millions. Mais qu'il n'arrivait pas à ramasser la somme nécessaire à cause de la crise là-bas. Il a dit que les temps étaient durs. Je ne sais pas pourquoi il m'a raconté sa vie comme si j'étais sa mère. Les temps sont durs pour lui, et moi, en quoi ça me regarde ?

Et d'abord même si je le voulais, d'où je vais lui sortir, moi, un million et demi ? Tout lui paraît simple. Il appelle, il demande quinze mille dirhams, et ensuite il va glander autour d'un café au lait en attendant qu'ils arrivent. Il pense que je mets au monde des billets ? Que chaque mois, au lieu d'avoir mes règles, ce sont des dirhams qui tapissent ma culotte ?

Le seul effort qu'il fait, lui, c'est de marcher les deux cents mètres qui le séparent de l'épicerie* où je lui envoie l'argent là-bas. Et encore, si ça se trouve, c'est l'autre pute qui va les chercher pour lui.

Au moins, ce qui m'a fait rire, c'est qu'il se soit déjà débrouillé de la moitié. C'est sûr que c'est sa femme qui les a allongés. Mais bon, ça ne règle pas mon problème et là, je n'ai pas de temps. Il faut que je travaille.

Il est onze heures du matin et je n'ai pas encore mis un pied dehors. Il ne fait pas très beau aujourd'hui. Je range rapidement les miettes du petit déjeuner, je mets l'assiette d'huile d'olive sur l'étagère, j'enfile ma jellaba et je sors.

Cette gueule de bois tous les matins, j'en ai marre. Elle ne passe que quand je bois. Tu me diras, il vaut mieux ça que ces saloperies de cachets que prend Rabia. La plupart du temps, elle ne se souvient plus de ce qu'elle a fait. Même son argent, elle ne sait pas dans quoi elle le dépense.

Je contourne le garage pour ne pas avoir à passer devant. Je n'ai aucune envie de croiser Hamid. Il veut de l'argent de ce que m'a donné

Bouche de cheval. Même si je l'avais prévenu de se démerder avec elle et même s'il n'a aucune idée de ce que j'ai touché, il veut sa gamelle.

Peut-être qu'il a regretté de ne pas avoir tiré plus de Bouche de cheval. Ou alors, qu'il l'a bien traite mais qu'il s'est dit que deux vaches laitières valaient mieux qu'une. Va savoir.

Les filles sont sur les escaliers. Samira n'est pas là. Elle est sûrement montée avec quelqu'un. Elles sont posées en train de parler de tout ce qui a augmenté : la farine, le thé, la tomate. Quand elles n'ont plus rien à dire là-dessus, elles se taisent. Celles qui ont des cigarettes les fument.

Maintenant, l'une d'elles parle de la grève des taxis qui défilent dans les rues le dimanche en appuyant sur leurs klaxons à les égosiller parce que – disent-ils – ils ne sont pas d'accord avec le nouveau code de la route. Personne ne lui répond. Parce qu'en fait, tout le monde s'en fout. Ce ne sont pas leurs klaxons qui vont faire fuir les clients. Et en plus, aucune de nous n'a tenu de volant dans sa vie.

Alors, elles parlent des clopes dont ils disent qu'elles vont devenir plus chères encore et du prix de la bière qui a augmenté cet été. Elles commencent à me prendre la tête, en fait.

S'il n'était pas si tôt, j'aurais bien picolé. J'en ai marre :

— Vous avez l'intention de faire une rediffusion des informations ou quoi ?

— Qu'est-ce que tu as, toi ? Tu as des problèmes avec tes cheveux ce matin ? répond Hajar pour insinuer que je râle seulement parce que je me suis levée du pied gauche.

Elle me défie du regard. De quoi elle se mêle celle-là ? Et si elle est de mauvaise humeur, elle ne sait pas que je le suis plus qu'elle :

— Et pourquoi tu me parles comme ça ? Tu te prends pour qui ? je lui dis.

— Pour ta mère ! Pour qui tu veux que je me prenne ?

Et là, on se lève toutes les deux d'un bond. Je lui saute dessus pour lui arracher sa tignasse. Son foulard reste entre mes mains. Son foulard et une bonne touffe de cheveux. Elle me griffe au visage. Et en moins de deux secondes, les autres nous ont séparées.

L'autre pute comprend toute seule qu'elle doit changer de place et elle se lève dans un mouvement désordonné avec sa copine, qui la suit pour aller se mettre sous le porche du magasin en face. Tout en y allant, elle continue à se tourner vers moi pour m'insulter.

Les autres – qui sont restées de mon côté – lui disent qu'elle ferait mieux de se la fermer. Elle m'a griffée à la tempe, cette pute. Et avec ses ongles de lionne, elle m'a arraché un bout de peau. Je saigne. Quelle journée de merde !

Les filles regardent autour pour voir si Houcine n'est pas dans les parages. Autant il ne se mêle pas de nos histoires, autant il ne supporte pas ça qu'on se donne en spectacle dans la rue. S'il nous avait vues, il aurait envoyé son poing se mêler de tout ça. Et moi aujourd'hui, je ne suis d'humeur à me taire ni pour un poing ni pour rien. Je lui en aurais collé une à lui aussi et après va savoir dans quel merdier je serais.

Mais elle m'a cherchée celle-là. Ça fait un moment qu'elle me tourne autour et je m'en veux de ne pas lui avoir déformé le visage.

Tu sais ce qu'elle a fait l'autre jour ? Le jour où j'étais avec Bouche de cheval et que je n'ai pas répondu à Chaïba au téléphone ? Elle l'a collé jusqu'à finalement l'emmener avec elle. Alors qu'elle sait très bien qu'il est à moi. Et ce fils de pute ne l'a suivie que pour me faire chier. Il n'a pas supporté que je ne décroche pas, le gamin. Et il savait très bien que ça allait arriver à mes oreilles. Quand je l'ai appelé, il ne m'a pas répondu et il ne m'a même pas rappelée.

Elle, elle pense qu'il l'a suivie pour ses beaux yeux… Sale pute ! Mais laisse-la. Et lui aussi, laisse-le. Laisse-le faire le tour de toutes ces salopes et quand il aura fini et qu'il se tournera à nouveau vers moi, on verra ce qui se passera. Et on verra qui de nous deux ne répondra pas au téléphone.

2011

JANVIER

Jeudi 20

Je suis assise à la fenêtre de ma chambre. C'est la fin d'après-midi et j'ai fermé la fenêtre parce qu'il fait froid. Il est possible qu'il pleuve, aujourd'hui.

D'ici, je vois des bouts de ciel et plein de nuages. À ma droite sur le matelas, j'ai posé une feuille de journal dans laquelle je mets les pelures des pépites que je mange. J'ai tellement d'entraînement que je n'ai pas besoin de me tourner du côté de la feuille pour savoir qu'elles vont directement dedans. Droit sur la tête de Ben Ali, le président tunisien. Bien fait pour sa tronche ! Je n'aime pas les voleurs de son espèce.

Dans la rue, j'aperçois l'autre folle d'Anissa en pleine dispute avec ses djinns. Elle est revenue dans le coin il y a quelques jours. Moi, j'attends Bouche de cheval qui doit arriver d'une minute à l'autre. Elle va me biper quand elle sera en bas pour que je la rejoigne. Je n'ai plus eu de ses nouvelles depuis qu'elle est partie en Hollande en septembre ou octobre.

Je m'ennuie. J'en ai marre de m'ennuyer. Et j'en ai marre d'être seule et de retourner les problèmes qui se sont emmêlés dans ma tête comme les fils d'une pelote de laine. Ça fait des années que j'ai été incapable de distinguer un jour du jour suivant tellement ils se ressemblaient, et là, en moins de trois mois, tout s'est mélangé.

D'abord, ce qui est à l'origine de tout, c'est qu'une moto m'a percutée. À cause de ce pédé, je suis restée trois semaines à l'hôpital.

Je marchais tranquillement dans la rue avec Samira, je venais de dépasser le marché pour aller au dépôt d'alcool qui est à côté de la téléboutique. C'était le début d'après-midi. On était sur le trottoir et avant de traverser, on s'est glissées entre deux voitures pour atteindre la rue. Moi devant, Samira me suivant. On parlait. Tu vas penser que je me suis tournée vers elle au moment de traverser et que je n'ai pas vu la moto venir ? Ou alors que j'avais bu et que du brouillard où j'étais je n'ai pas vu ce qui arrivait ? Ben non. Non, je marchais et au moment où j'ai voulu traverser, j'ai regardé à gauche du côté où les voitures venaient et je me suis engagée sur la route. Samira n'a pas eu le temps de crier que je m'étais déjà pris le connard qui venait en sens inverse. Il avait pris le sens interdit et il roulait à pleins gaz.

À peine relevé, il a enfourché sa moto et il a disparu aussi vite qu'il était apparu.

Tu crois que quelqu'un a bougé pour le suivre ? Ou pour voir s'il m'avait laissée morte ou vive ? On était devant un café et les hommes qui étaient attablés, en voyant la scène, se sont mieux calés encore sur leurs chaises. En portant leur café à leur bouche. Du cinéma gratuit, que veut le peuple ?

Samira s'est mise à hurler, les gens qui passaient se sont penchés pour voir s'il y avait quelque chose à voir. Moi, j'ai juste eu le temps de m'asseoir, de jeter un œil sur ma jambe droite, de toucher mon crâne ensanglanté et de m'évanouir.

Quand j'ai recouvré mes esprits, j'étais encore dans la rue. Ils m'avaient portée jusqu'au trottoir. Samira passait sa main sur mon visage avec de l'eau. Ma jambe droite, au niveau de mon tibia, était enroulée dans un linge. Je crois que c'était mon foulard.

On attendait l'ambulance que ce pédé de Aziz nous avait envoyée. Au moins, il aura servi à quelque chose celui-là. Et il faut croire qu'il a de bonnes connexions parce que l'ambulance, en moins d'une demi-heure, elle était là. C'était une ambulance pourrie, les vieilles blanches, station wagon. Samira est montée avec moi et on a filé vers l'hôpital.

Ils ont commencé à me recoudre le crâne après m'en avoir rasé une partie, ils m'ont fait des radios de la tête, des hanches et des jambes.

Dans tout ça, j'ai eu de la chance, parce qu'en dehors de la ciselure sur ma tête, je ne me suis cassé que la demi-jambe, un peu plus haut que la cheville. Deux fractures qu'ils ont dû opérer. C'est pour ça que je suis restée là-bas trois semaines.

Mais j'ai eu beaucoup de chance : ils ont pu m'opérer tout de suite. Et ça s'est bien passé. Je n'ai même pas eu de brochettes qui dépassent de la jambe comme ma voisine de lit.

Dans la salle où ils m'ont mise, on était six. L'une d'elles s'était fait opérer de la même chose que moi. Sauf qu'elle, la première fois qu'elle était arrivée à l'hôpital, c'était six mois avant. Ils n'avaient pas pu lui faire l'opération parce que sa peau faisait des bulles. Alors ils l'ont renvoyée chez elle et elle est restée allongée six mois avant qu'ils ne la touchent. Et le jour où ils ont ouvert, ils ont trouvé un de ces bazars ! Elle m'a raconté ça le matin du jour où Samira, Fouzia et Rabia étaient venues me voir. Les trois d'un coup ! Elles avaient amené des oranges, des bananes, des pommes, des yaourts, des dattes. Comme si on allait faire une réception.

Il devait être trois ou quatre heures de l'après-midi. Elles avaient fait le tour des couloirs pour se débrouiller des chaises pour pouvoir toutes s'asseoir. Et elles avaient arrosé l'infirmière en chef – les gens l'appelaient Madame Touria – pour qu'elle nous laisse tranquilles même si on faisait un peu de bruit. C'est elle qui était là quand j'ai été admise et Samira lui avait déjà donné un petit quelque chose.

Bref, les filles sont entrées et se sont assises à droite du lit, alignées. Derrière elles, il y avait la fenêtre. Ces bâtards, ils n'avaient pas trouvé de meilleur endroit pour me placer que là où on meurt de froid. Du lit où je me trouvais, sur ma gauche, on voyait l'ouverture béante qui servait de porte à la chambre. Ça fait longtemps que les battants en bois en avaient été arrachés. Il n'y avait pas de rideau pour me séparer des femmes à côté de moi. Et tu pouvais entendre tout ce qui se passe dans le couloir. Tu parles d'une convalescence.

Bon, ça ne nous a pas empêchées de prendre nos aises à vrai dire. On était posées, on se racontait des histoires, chacune son tour. Je n'avais pas eu le temps de leur raconter qui j'avais vu à la télévision juste avant mon accident. Dans l'émission Moukhtafoune, celle où ils cherchent des gens qui ont disparu, ils ont passé l'histoire d'un mec qui avait lancé un appel pour retrouver la sœur de sa femme. Il a dit qu'elle avait des problèmes psychologiques. La chaîne avait été contactée par le centre social de Tit Mellil. La décharge humaine qui est à la sortie de Casa. Ils avaient depuis quelque temps une pensionnaire qui ressemblait à la fille de la photo et quand ils ont appelé la télévision, il s'est avéré que c'était bien elle.

Le moment où ils l'ont sortie du centre et celui où elle est arrivée dans sa famille ont été filmés. Quand la caméra est entrée dans la maison où il y avait une tonne de monde, les mecs de la télé se sont rendu compte qu'il y avait un problème. Il y avait des gens qui se disputaient.

— J'aime bien quand ça part en vrille comme ça, a dit Fouzia. Quand la famille s'en mêle, il y a toujours un moment où ça dérape.

Les journalistes ont commencé à poser des questions pour savoir exactement ce qui se passait. En fait, le beau-frère qui avait passé l'annonce l'avait fait sans prendre l'avis de sa femme et de son frère. Et ces deux salopards, tout en disant qu'ils étaient très contents de la revoir, disaient aussi qu'ils n'avaient personne pour la garder et que ça allait leur poser un problème de la garder dans la famille. Qu'ils avaient peur qu'elle se jette par les fenêtres.

— Peur qu'elle se jette par les fenêtres ? Tu parles. À mon avis, dès que la caméra leur a tourné le dos, ils ont ouvert grand les carreaux pour « respirer un coup », a dit Samira, en soufflant fort du nez, comme un cheval, pour signifier qu'elle n'était pas dupe.

Ils ont parlé de l'héritage qui a suivi la mort de leur mère. Bizarrement, ils ont été flous en ce qui concerne la part qui revenait à la malade qui elle, pendant tout le reportage, n'était pas consciente de ce qui se passait autour d'elle. Comme si tout ça ne la regardait pas. À la fin, le frère a dit qu'il allait la garder chez lui. Et le reportage s'est terminé là-dessus.

— Ouais, ben l'argent de l'héritage, je sais, moi, où il a été, a dit Fouzia.

Sa main droite a tourné autour de son poignet comme si elle ouvrait un robinet et elle a ensuite glissé vers la poche de sa jellaba pour y mettre le butin imaginaire. Avant de tapoter deux ou trois fois sur la poche.

— Oui, a soufflé Samira, ça, l'argent on sait où il est. Mais la pauvre fille, c'est une autre histoire.

— Ben moi je sais, j'ai dit dans un grand sourire.

Et pour ne pas faire durer le suspense trop longtemps, j'ai tout de suite enchaîné :

— C'est cette folle d'Anissa. Pendant tout le temps qu'ils passaient le reportage, je la regardais et je n'en croyais pas mes yeux. Quand j'ai récupéré du choc, j'ai ri pendant un bon moment. Je passe tout mon temps libre à regarder l'écran et pour une fois que je connais quelqu'un qui passe à la télévision, il a fallu que ce soit une folle.

Et les filles ont toutes ri et les voisines aussi ont ri. Ma jambe m'a fait mal et j'ai demandé à Samira de me tourner sur le côté droit en m'excusant dans la foulée auprès de ma voisine de lui donner du dos. Samira m'a calée sur les coussins et pendant qu'elle arrangeait ma chemise de nuit, elle a levé la tête vers les filles et elle a enchaîné :

— Tant qu'à faire dans les histoires, on ne vous en a jamais raconté une, Jmiaa et moi ?

Et elle leur a raconté, en baissant un peu la voix, une soirée où il nous était arrivé un truc trop drôle. C'était il y a longtemps, je ne sais même plus quand. Fouzia et Rabia ne connaissaient pas cet épisode. Une nuit, on avait été ramassées assez tard le soir. L'arrière de la fourgonnette qui nous conduisait à la fosse était bondé. À un moment, l'estafette s'est rangée sur la droite et s'est arrêtée. La porte s'est ouverte et là devant nous, on a aperçu trois jeunes, bien habillés, debout et qui engueulaient les flics. Les flics ne savaient plus quoi faire et ils disaient en regardant celui des trois jeunes qui avait l'air d'être le chef :

— Oui mon commissaire, oui mon commissaire.

— Vous êtes débiles ou quoi ? Vous n'avez rien de mieux à faire ce soir que de ramasser ces saletés ? dit le plus âgé des jeunes, le commissaire.

Et pour mieux faire le policier, Samira mimait de son doigt le port d'une moustache en haussant le ton.

— D'accord, d'accord, mon commissaire. On les lâche tout de suite mon commissaire, dit l'un des idiots en uniforme sans se demander pourquoi.

— Allez et filez vite du côté de la place en bas au lieu de traîner ici. Il y a des bouteilles qui volent et du sang.

Après être descendus, les occupants de la fourgonnette ne savaient pas quoi faire. Il y en a deux ou trois qui ont détalé sans regarder derrière eux. Et nous, avec d'autres, on est restées à regarder le commissaire et ses deux hommes de main pour savoir ce qu'on allait faire.

— Et alors, qu'est-ce que vous avez fait ? a demandé Fouzia.

— Alors, les trois jeunes ont fait leur marché, j'ai répondu en riant. Et elle et moi on était dans le lot.

— Attends, c'est moi qui racontais l'histoire, m'a dit Samira en me coupant la parole et en oubliant de baisser la voix. Alors, ils nous ont emmenées dans une maison qui ressemblait à un palais. Avec une piscine, un salon grand comme la place aux pigeons. Ils ont sorti des bouteilles. Tu te souviens ? elle m'a demandé en se tournant vers moi. Les jeunes ils étaient aussi commissaires que nous on est des hommes. Quelle soirée !

Et là, pendant qu'on riait encore, il y a une voix que je connais bien qui a dit dans mon dos :

— *Salam alaykoum.*

Mon sang n'a fait qu'un tour. Mouy. Mouy était venue.

*

Depuis combien de temps était-elle debout à la porte ? Qu'est-ce qu'elle avait entendu exactement ? Comment avait-elle fait pour me trouver ? Je ne sais pas. Ce que je sais, c'est que

Mouy s'est approchée, qu'elle a pris – en la remerciant du menton – la chaise que Samira lui tendait. Et elle a fait comme si elle ne remarquait pas que cette dernière était restée debout. Samia était avec elle. Elle lui attrapait la main. Elle est venue m'embrasser et me serrer dans ses bras. Je crois qu'elle a eu peur quand elle a entendu que sa mère avait fait un accident.

Fouzia et Rabia ont profité de ces mouvements pour se lever elles aussi et me saluer. En passant devant Mouy, elles ont fait un signe de la tête pour lui dire au revoir. Mouy les regardait en les scannant de la tête aux pieds. Si j'avais été debout, mes jambes auraient flanché sous moi. Là, je me suis juste enfoncée dans mon matelas comme on tombe dans un puits. Dans ma chute, j'ai pensé que j'étais cuite.

Ça a effectivement été le cas.

Mouy a fait bonne figure en restant cinq minutes, sans regarder autour d'elle. Elle était assise droite sur la chaise. Elle a soulevé le drap du bout des doigts pour voir ce qu'il y avait en dessous. Elle a posé deux ou trois questions qui n'ont aucune importance. Et elle est partie en emportant Samia. Et en laissant derrière elle un petit sac dans lequel il y avait deux chemises de nuit à elle et une à Samia, des gâteaux, une jellaba et un foulard.

Depuis ce jour, je ne l'ai pas revue. Et je ne lui ai pas parlé non plus. Moi je n'ai pas pu l'appeler. Et elle ne m'a pas appelée.

Comment elle a su que j'étais là ? C'est une histoire bête.

Quand ils m'ont admise aux urgences, l'infirmière Touria a pris mes affaires pendant que le médecin qui m'avait reçue me passait des tests. Le hasard a voulu que ma mère choisisse ce moment précis pour appeler. Le hasard et peut-être aussi qu'elle avait fait un rêve encore. Je ne sais pas.

Pendant que les médecins m'auscultaient, l'infirmière était dans une pièce attenante, mes affaires posées à côté d'elle. Le téléphone a sonné longtemps, il a cassé les oreilles à Touria qui l'a pris pour l'éteindre. Elle a vu « Mouy » s'afficher et elle a répondu.

C'est comme ça parfois la vie. Tu ne sais pas pourquoi les choses arrivent mais elles arrivent. Comment l'infirmière aurait pu se douter qu'une Jmiaa Bent Larbi* aurait choisi de ne pas dire à sa mère qu'elle venait de se faire renverser ? Comment ? Si ça avait été à un autre moment que dans l'urgence, ou juste quelques jours après, quand elle savait à qui elle avait affaire, elle ne lui aurait sûrement rien dit. Mais, là, c'était pas de chance et c'est tout.

*

Bouche de cheval est en bas. J'ai vu sa charrette arriver avant qu'elle me bipe. J'ai enfilé ma jellaba rouge parce qu'elle est chaude et j'ai pris ma canne. Impossible de descendre les escaliers sans elle. Honnêtement, je n'arrive plus à gérer ces trois étages. Quand je suis sortie de l'hôpital, même aidée de Samira, il m'a fallu une heure pour les monter. Maintenant, ça va mieux. Ma jambe s'est un peu arrangée avec la gymnastique qu'ils m'ont donnée à faire mais c'est dur. Même si j'ai perdu du poids.

Oui, j'ai perdu du poids.

Un après-midi – j'étais rentrée depuis peu de l'hôpital –, j'étais fatiguée d'être allongée devant la télévision à voir ces images qui défilent les unes après les autres sans fin. J'ai voulu me lever pour prendre l'enveloppe de photos dans mon armoire et les regarder un peu. Je me suis appuyée sur mon coude droit pour me mettre debout, j'ai pris ma canne de l'autre main et au moment où j'ai voulu me redresser, j'ai senti le poids de mes fesses qui m'attirait vers le matelas, comme un aimant. Impossible de les décoller. Je tirais d'un côté et elles de l'autre.

C'est là que j'ai réalisé que ça faisait un bon mois que j'avais deux parties de moi seulement que j'utilisais : ma main droite et ma bouche. La première zappait et portait des choses à mes lèvres. N'importe quoi : des gâteaux, des chips, du pain, des cacahuètes, des pépites. Et la deuxième mâchait et faisait des commentaires à l'écran. Et là, j'ai eu peur.

Mes fesses s'enfonçaient tellement dans le matelas que j'ai bien cru y rester scotchée. Si je les laissais faire ce qu'elles voulaient, comment j'allais vivre, moi ? Et qu'est-ce que j'allais faire de ce mari de l'autre côté de la mer, et de ma mère, et de ce loyer de merde qui tournait, et de ces cigarettes qu'il me fallait ? Et de tout le reste. Les médicaments, l'alcool, Houcine, la nourriture. Qu'est-ce que j'allais faire avec ça ?

Ça n'a pas été dur de maigrir. Chaque fois que je voulais porter quelque chose à ma bouche, Anissa apparaissait devant mes yeux. Errant dans la rue en train de parler et de rire toute seule. Impossible que les fesses qui m'avaient fait vivre tout ce temps soient aussi celles qui me tirent vers le bas.

Quoi que j'aie à la main, je le balançais sur la table d'un geste sec. Parfois, je l'envoyais tellement fort que ça s'écrasait sur le sol de l'autre côté. Samira n'arrêtait pas de gueuler parce que je jetais tout ça par terre. Alors, j'ai arrêté. Pas à cause de Samira et de ses jérémiades. En fait, j'ai eu peur que jeter des choses sans se contrôler soit le début de la folie. Je restais à ma place à regarder la télévision et à taper des cachets sans manger.

Si je n'avais pas été malade, je n'aurais jamais perdu quinze ou vingt kilos comme ça. Je ne me suis jamais pesée. En général, je sais que j'ai grossi quand je dois forcer sur ma jellaba pour qu'elle passe le cap de mes hanches. C'est tout. Et là, je sais que j'ai beaucoup maigri parce que j'ai été obligée d'emmener mes jellabas chez le tailleur pour qu'il les reprenne.

Je mets presque dix minutes à descendre les escaliers. Bouche de cheval ne sait pas encore que je me suis pris cette fichue moto en plein dans la figure.

Elle est stationnée devant l'immeuble, la tête baissée, en train de rouler un joint. J'ouvre la portière. Elle porte son regard vers moi en écartant ses lèvres sur ses grandes dents :

— *Salam alaykoum*, elle dit en levant la tête.

Moi aussi je lui souris et je me baisse pour entrer dans la voiture, ma jambe saine la première. Je m'appuie sur le toit de la voiture pour tenir l'équilibre. Je m'assois, je rentre ma canne et je la pose à ma gauche. J'attrape ma jambe droite avec mes deux mains au niveau du genou et je la monte dans la voiture. Je fais un effort pour ne pas respirer trop fort.

— *Alaykoum salam*, je lui dis, comme si de rien n'était et en tendant ma main pour qu'elle la serre, ça fait un bail.

Elle ne dit rien. Elle pose son joint dans un petit casier sous la radio. Elle regarde ma jambe et ma canne. Je ne sais pas ce qu'elle s'imagine mais ce n'est pas beau à voir. On dirait qu'elle a mal. Sa bouche est toujours tirée vers ses oreilles mais elle ne sourit pas. Elle dit mi-inquiète, mi-interrogative :

— Aïe, aïe, aïe, aïe, ça va ?

Et encore, elle n'a pas vu comment ma jambe ne ressemble à rien du côté de mon tibia. Au niveau de la cicatrice, la peau est gonflée, bleue et fine comme de la pâte feuilletée. Et la cicatrice est longue, grosse et violette.

Bouche de cheval s'ébroue, en secouant sa

tête très vite de droite à gauche, et comme je ne réponds pas à sa question, elle ajoute :

— Qu'est-ce qui t'est arrivé ?

Si j'étais d'humeur, je l'aurais fait tourner en bourrique. Mais je commence à transpirer déjà et je n'ai pas très envie de rigoler. Je ne sais pas pourquoi je lui ai dit OK pour qu'on se voie en fait.

— Je me suis pris une moto. Un gars m'est rentré dedans et il a disparu.

— Pfff, j'ai eu peur. Je croyais que tu t'étais fait tabasser pendant une bagarre, elle répond en portant la main à sa poitrine, soulagée.

— Une bagarre ? je demande. Tu me prends pour une chemkara* ou quoi ?

En vérité, ça aurait pu être ça ou même un truc pire, qui sait ? Mais je ne lui dis pas.

— Désolée. C'est juste que dans le scénario, il y a une bagarre qui tourne mal. Je crois que je fais une surchauffe à force d'être plongée là-dedans. Mais qu'est-ce qui s'est passé exactement ?

— Un gars à moto m'est rentré dedans, il s'est enfui, je me suis fait opérer mais maintenant, ça va. Tu vas bien, toi ? et je tire la gueule.

Elle ne va pas insister davantage, je commence à la connaître. Elle hésite mais elle répond :

— Ça va bien. Ça va.

Elle ne sait pas quoi dire.

À vrai dire j'en ai marre. Malgré le froid, je transpire et cette jellaba me dérange. J'en ai marre de cette jambe. Et j'en ai marre de cette canne. Et ces cachets, je crois qu'ils ne me font plus d'effet. Il faut que je prenne quelque chose sinon je vais m'énerver.

Elle va droit à son bar. On est devant la porte. L'horloge de la voiture affiche cinq heures de l'après-midi.

On traverse la rue et ça nous prend du temps. On s'assoit dans la première salle. Bouche de cheval appelle le serveur et elle commande :

— Deux Spéciale, mon frère, sans me demander mon avis.

Ça m'énerve. Moi, j'ai déjà allumé une cigarette et, en quatre bouffées, j'en ai tapé presque la moitié.

— Non, je ne prends rien, je fais en direction du serveur en faisant non de mon index.

Je me tourne vers elle et je lui dis :

— Je prends des médicaments. Je ne peux pas boire.

— On se casse alors, et sans attendre, elle crie en direction du serveur : Si Mohamed* ! Désolée, laisse tomber la commande. On a oublié un truc.

Ce n'est pas vrai que je ne peux pas boire. Mais j'ai commencé à faire attention. Sinon, ça va mal finir cette histoire. Je me suis fixé une limite : avant six heures de l'après-midi, aucune goutte ne touche mon palais. Je passe la journée à attendre six heures pour pouvoir faire couler le liquide dans ma gorge et sur ma langue. Et le problème, c'est qu'une fois qu'elles sont irriguées, elles en demandent encore. Et après, je ne contrôle plus rien. Je bois jusqu'au K-O. Toute seule dans ma chambre. Ou alors avec Samira si elle ne travaille pas.

Tu sais, les journées sont longues quand tu restes posée dans la même pièce en tête à tête avec toi-même. Samira vient me voir, les autres filles aussi de temps en temps mais tout le monde a sa vie. Les gens ont peur que tu déteignes sur eux. Mais se retrouver seule, encore, ce n'est pas le vrai problème. Le vrai problème, c'est l'argent. Et les troubles qu'il crée quand il manque. J'ai intérêt à me remettre sur les marches bientôt parce que le Houcine, là, il commence à trouver le temps long avec le peu que je lui donne en ce moment.

Lui ne m'a rien dit. Et il n'est pas venu me voir. Mais je sens sa nervosité, même de loin. Toi tu n'entends jamais parler de lui parce qu'on n'a pas de problème lui et moi. Mais si ça se passe comme ça, c'est parce que je suis réglo et que même malade, je respecte mes engagements. Chaque fin de mois, je le croise quelque part, je lui donne son argent, il le met dans sa poche et c'est reparti jusqu'à la fois d'après.

Au début, il me faisait chier. Il me surveillait comme la mort au chevet des malades. Il avait peur que je cherche à lui échapper. Après chaque client, je le trouvais derrière moi. Pour pas que je l'entube, genre. Et puis quand il a compris que je ne faisais pas d'embrouilles, il est retourné à ses affaires. Moi je ne te cache pas que plusieurs fois j'ai pensé à me casser et à le planter. Et après, à chaque fois, il s'est passé un truc qui m'a fait changer d'avis. Comme ce jour, avec ce type qui avait consommé et qui pensait qu'il pouvait retourner à sa vie en sautant l'épisode « main à la poche ». Dans ma chambre et pour régler les choses sans faire d'histoires, je lui ai dit qu'il ferait mieux d'allonger maintenant, avant de le regretter. Il a répondu en gonflant le torse :

— Ah ouais ? Et qu'est-ce que tu vas faire si je ne crache pas ?

— Tu ne veux pas savoir ce que je vais faire si tu craches pas.

— Ouais, c'est ça. Vas-y, montre-moi, il a dit après avoir relevé son pantalon.

Et il a ouvert la porte, en me regardant de haut, comme les héros dans les films américains. Moi, je lui ai envoyé un « va te faire foutre » assez mou et je suis descendue derrière lui, vite. Je ne te raconte pas comment il a fini, le héros. Avant de monter, j'avais vu Houcine adossé à une voiture en train de rigoler avec un mec, un Espagnol – José Lechetta ils l'appelaient. Un gars à qui il manque un bout de langue. Il paraît que c'est une nana qui la lui a coupée au rasoir. Si je te donne ces détails, ce n'est pas pour te faire peur, c'est juste pour te dire le genre de types avec lesquels il traîne, le Houcine.

Donc, l'embourbé du cerveau qui ne voulait pas payer, il est descendu sans se demander pourquoi je n'avais pas fait de scandale. Il était juste content d'être sorti de ma chambre avec la poche aussi pleine que ses bourses étaient vides. Je peux te dire que ce jour-là, le gars a regretté tous les liquides de sa vie : celui qu'il a expulsé sur mon matelas, celui qu'il a préféré garder dans sa poche et celui qui lui est sorti par les trous de nez quand Houcine et son invité l'ont chopé en face du marchand de beignets.

Et encore, il a eu de la chance parce que Houcine et son pote, ils ont laissé des temps morts pour se faire des politesses sur les morceaux de choix. Tiens, prends la cuisse, elle est bien tendre. Non, non, à toi l'honneur, tu es chez moi aujourd'hui. Le gars, il est ressorti de cette fête improvisée comme un bout d'os d'un tagine de poulet. Bien rongé.

Du coup, chaque fois que je pense que je vais le planter, et même si le Houcine me taxe autant que l'État sur l'alcool, je me ravise parce qu'avec lui au moins, je suis tranquille. Le truc qui me fait chier, c'est qu'en ce moment je suis raide. Mes réserves ne sont pas éternelles. Et tout cet alcool, ça ne va pas m'aider à me mettre debout.

L'autre matin, je me suis réveillée sur le tapis tellement j'étais saoule au moment de me coucher. J'étais tombée de mon lit dans mon sommeil et je ne m'en étais même pas rendu compte. Quand je me suis réveillée, j'avais deux points ouverts sur ma jambe. J'ai eu de la chance ce jour-là. La blessure aurait pu se dézipper comme une fermeture éclair.

Quand je me suis vue dans cet état, j'ai décidé de faire quelque chose. Alors maintenant, je bois tous les soirs mais un peu seulement. C'est la seule astuce que j'ai trouvée qui marche. Ça et les cachets bien sûr. Ce sont des calmants pour les nerfs mais je peux te dire qu'ils soignent aussi bien les nerfs que la soif. Ça m'embrume un peu l'esprit mais ça marche. Alors, ce soir, Bouche de cheval ou pas, je ne bois pas avant six heures.

— On va faire une petite balade sur la côte alors ? elle me dit en m'ouvrant la portière.

Je suis fatiguée de tout ça. Je n'ai pas envie de parler, même pas pour lui demander de me ramener chez moi.

On arrive à la plage juste à l'heure du coucher de soleil. Elle stationne la voiture à côté de Sidi Abderrahmane et elle récupère le petit joint qu'elle avait planqué sous la radio.

Je lui tends mon briquet parce que je n'ai aucune envie de la voir s'agiter encore dans tous les sens pour chercher le sien. Au lieu de le prendre, elle me tend le joint pour que je l'allume. Puis elle le reprend en disant :

— J'ai oublié que tu ne fumais pas.

Bouche de cheval se tourne vers moi et me dit en souriant, contente :

— J'ai eu l'argent. Tout l'argent que je demandais.

Et après une longue bouffée, elle ajoute :

— On va commencer à tourner début avril.

— C'est bien. Tu restes ici entre-temps ?

De la pluie commence à tomber, de toutes petites gouttes fines. Je baisse la vitre pour sentir la mer. C'est bizarre, je n'ai pas le tournis. Et c'est bizarre, en ce moment, je vois le monde avec des yeux de malade. Comme si j'allais mourir.

Bouche de cheval, tout en crachant sur la gauche le tabac qui est resté collé sur le bout de sa langue, répond :

— Non, je repars quinze jours en mars.

J'avais oublié que je lui avais posé une question. Du sol, elle ramasse l'énorme gourde qui lui sert de sac. Il est de la même couleur que sa veste. Et que ses chaussures. Depuis que je l'ai rencontrée, elle n'a toujours pas changé de vêtements : le même blouson, le même jean bleu, le même tee-shirt clair et les mêmes bottes en cuir. Elles n'ont aucune forme et elles ont des languettes qui descendent de chaque côté du pied. Elles sont nazes mais chacun son trip.

Elle cherche quelque chose dans le sac en poussant les autres objets qui s'y trouvent.

Elle en sort un paquet qu'elle me tend. C'est un papier cadeau noir brillant, avec des fleurs rouges et jaunes. Et un fil doré enroulé autour.

— C'est quoi ?

Elle me fait chier. J'en ai marre de son sourire dans cette bouche géante.

— Un bidule. Prends. Ouvre.

Elle dit :

— Je voulais te remercier. Ce que tu m'as dit m'a été très utile pour écrire l'histoire.

Le papier ne veut pas se déchirer. Ce n'est pas un papier normal. On dirait du plastique. Je tire sur le fil doré. Lui non plus ne veut pas s'ouvrir. Rien à faire. Ça m'énerve. Je mets le papier dans ma bouche et je tire de toutes mes forces avec mes dents sur le côté. Un bout de l'emballage reste entre mes dents. Je le crache par la fenêtre. Putain qu'est-ce qu'ils ont dans la tête ces pédés pour produire des papiers pareils ? Je balance le putain de paquet devant moi. Il cogne la boîte à gants avant de tomber par terre à mes pieds.

— Putain, j'en ai marre de tout ça, je gueule en poussant la portière pour l'ouvrir. *Tfou*, je fais en refermant la portière parce que je n'arrive pas à descendre.

J'ai envie de rentrer. Bouche de cheval me regarde depuis tout à l'heure. Elle ne dit rien. Elle a l'air de se demander si je suis devenue folle. Elle prend son joint qui s'est éteint dans le cendrier et dit en le rallumant :

— Je finis ça et on rentre.

On arrive dans le quartier. Elle s'arrête au bureau de tabac, entre, en ressort avec un sac en plastique bleu qu'elle pose sur ses genoux et démarre.

On arrive en bas de chez moi. Elle fait taire le moteur mais on ne parle pas. De toute façon, je n'ai rien à dire. Elle ramasse le cadeau à mes pieds, en poussant un peu ma canne. Elle se relève vers moi et elle me le tend en même temps que des énormes ciseaux bleus qu'elle sort du sachet de la même couleur.

— Si ça ne s'ouvre pas avec ça, balance ce putain de paquet par la fenêtre de ma part.

Je prends le paquet et je ne peux pas empêcher mes lèvres de sourire. Les siennes leur répondent pendant qu'elle me dit :

— Prends soin de toi.

Et elle ajoute au moment où je m'appuie sur la portière pour me lever :

— Et si tu as besoin de quelque chose, n'importe quoi, appelle-moi.

Je lui fais un signe de la main à moitié pour dire au revoir et à moitié pour lui montrer que je l'ai entendue. Je ferme la portière et je recommence l'escalade vers chez moi.

Je rencontre Samira au premier. Elle m'attrape le bras et en montant les marches elle me demande :

— C'est quoi ça ? en montrant le cadeau de la tête.

— C'est une fille qui me l'a donné. Tu ne la connais pas.

Je n'ai aucun mensonge à lui servir. Et d'ailleurs, je m'en fous. C'est débile de ne pas en parler à Samira. Comme si je gérais des affaires d'État. Moi, dans cette vie minable que j'ai, je continue à mentir pour des broutilles.

— Je te dirai une fois en haut, je réponds en m'appuyant encore plus fort sur elle.

On est dans ma chambre. En arrivant, je me suis jetée sur le matelas et Samira m'a donné un cachet.

— Alors, c'est qui celle-là ? elle demande en essayant d'ouvrir le paquet avec les doigts.

— Prends la bouteille qui reste dans l'armoire.

Depuis que je suis malade, je me fais un petit stock de vin à la maison. J'achète les bouteilles par paires. Samira me regarde en levant un sourcil. C'est sûr qu'elle se demande si je ne cherche pas à gagner du temps pour lui faire oublier sa question.

Elle pose le paquet et se lève. Elle ramène la bouteille et nous verse deux verres. Je prends une gorgée et comme le verre est petit, je le vide d'un coup. Ça fait du bien.

— Alors, c'est qui celle-là ? elle reprend en attrapant les ciseaux pour couper le fil.

*

J'ai raconté à Samira sans trop entrer dans les détails l'histoire de Bouche de cheval. Pendant que je lui parlais de Hamid, du jour où on s'est rencontrées dans la cabane et du film, Samira se taisait, le cadeau entre les mains. Elle ne regardait pas dans ma direction mais je sais qu'elle n'était pas contente. Ses lèvres se tordaient dans un sens puis dans l'autre.

Moi, maintenant, avec tout ce qui s'est passé, je ne sais même plus pourquoi je ne lui ai rien dit. En plus, qu'est-ce que tu aurais voulu que je lui raconte ? Que j'ai rencontré une fille qui voulait me parler pour que je l'aide sur un film ? J'ai une gueule de film, moi ?

Et Samira, ce n'est pas que je me suis méfiée d'elle, c'est juste que je ne savais pas qu'elle serait debout à mes côtés.

Je ne savais pas qu'elle irait vendre mes deux bracelets, ma chaîne, mes foulards pour payer mon loyer, Houcine, l'hôpital et toutes les merdes qui me pèsent sur les épaules.

Je ne savais pas qu'elle cuisinerait pour moi, qu'elle laverait mon linge, qu'elle viendrait me voir tous les jours.

Et quand il n'est plus rien resté de mes affaires à vendre comment j'aurais pu savoir qu'elle appellerait Chaïba pour lui emprunter de l'argent et qu'elle me proposerait d'habiter avec elle si j'avais des problèmes ?

Comment j'aurais pu savoir que c'était ma copine à ce point ? D'ailleurs si ça se trouve, même elle, elle ne savait pas.

Et maintenant que j'ai fini de lui raconter, elle fait la grimace à cause de l'autre jument.

Au cas où elle ne le saurait pas, une mère qui me surveille et qui me fait la gueule j'en ai déjà une. Je n'ai pas où en mettre une deuxième. Si elle n'est pas contente, qu'elle aille se faire foutre elle aussi.

— Ouais, ben moi ce que je vois, elle dit en me tendant le contenu du paquet, c'est qu'il n'y a ni film ni rien. Celle-là, c'est une tordue qui a des vues sur toi et c'est tout.

Et elle ajoute :

— Si tu m'avais prévenue, au moins on en aurait tiré quelque chose, pas ces babioles.

Je regarde le cadeau. C'est un foulard gris, avec des fleurs roses, jaunes, vertes, très fines. Et des bordures argentées. À côté, il y a une énorme barrette en forme de fleur. Et il y a un sac. Gris, avec juste une fleur sur le côté. Rose. Très classe.

Je les prends. Je ne lui réponds pas. Il n'y a aucun rapport entre les foutaises de Samira et ce cadeau. Je crois qu'elle est jalouse, rien de plus.

— De toute façon, j'en ai fini avec elle. Aujourd'hui, c'était la dernière fois que je la voyais, je dis en me servant un autre verre.

FÉVRIER

Lundi 7

Bouche de cheval m'a appelée plusieurs fois depuis l'autre jour, je ne lui ai pas répondu. Quand je décide quelque chose, je ne reviens pas dessus.

Je suis allongée devant la télévision, sous deux couvertures. Je viens de rentrer du bain. J'ai enlevé ma jellaba pour mettre mon nouveau peignoir. Il est vert et il est doux comme un mouton. Je me suis enturbanné la tête dans ces foulards en serviette qui ressemblent à des chapeaux. J'ai le dernier modèle, il ferme avec des scratches.

On crève de froid. J'ai allumé une cigarette et je me verse un petit verre. Il doit être sept ou huit heures du soir, je ne sais pas. Je suis tranquille. Et ma jambe va mieux. Elle me fait encore mal de temps en temps mais ça va beaucoup mieux.

Je me suis bien reposée ces derniers temps,

en fait. J'ai regardé la télévision, je n'ai pas beaucoup mangé, j'ai dormi. Et j'ai arrêté de me prendre pour un héros. Parce que même dans les films, l'héroïne, quand elle est malade, elle prend le lit.

Et en plus de tout ça, j'ai décidé de ne plus faire attention au monde. Je m'en fiche tellement que même quand mon mari m'a appelée pour gueuler parce que je ne lui ai pas envoyé d'argent depuis l'accident, je l'ai laissé s'égosiller tout seul au téléphone. Qu'il sorte du combiné s'il y arrive.

Tu sais ce qu'il a fait le jour où je lui ai dit qu'une moto m'était rentrée dedans ? Rien. Il s'est tu, il a marmonné un rapide « Que Dieu te guérisse » et il a raccroché. Je suis sûre qu'il pensait à une unique chose : à cet argent que je lui envoie tous les mois en se demandant si le robinet allait s'arrêter ou pas.

Alors maintenant, qu'il aille se faire foutre.

Je tire une longue bouffée de ma cigarette.

Depuis l'hôpital, je n'ai pas appelé Mouy. Je ne peux pas. Le seul contact qu'il me reste avec elle, c'est ces mandats que je lui envoie pour ma fille.

Et depuis une bonne dizaine de jours, aucune des filles n'est restée avec moi plus de cinq minutes. Aucune. Qu'elles aillent se faire foutre ! Elles et leurs visites à deux sous.

Samira est la seule qui a continué à venir tous les jours.

— Debout, il y a des gens qui sont venus te voir.

Putain, elle a la vie longue, celle-là ! Samira entre et fait signe à quelqu'un d'avancer.

Derrière elle, Bouche de cheval est debout. Qu'est-ce qu'elles foutent ensemble ?

— *Salam alaykoum*, dit Bouche de cheval en avançant vers moi et en me tendant la main.

— *Salam*, je réponds en m'asseyant sur mon derrière et en regardant autour de moi pour voir dans quel état est la chambre. Bienvenue.

À vrai dire, je ne sais pas si je dois lui sourire ou pas. Je ne voulais pas la revoir mais maintenant qu'elle est là, je ne sais plus pourquoi.

— C'est comme ça qu'on accueille les invités ? me dit Samira.

Et elle montre à Bouche de cheval le matelas sur lequel je ne suis pas pour qu'elle s'assoie dessus.

Depuis que je suis malade, Samira est comme chez elle ici.

Elle s'affaire, elle va lui chercher un verre, s'assoit à côté de moi tout en me poussant un peu et prend la bouteille de vin pour la servir.

Le sourire de Samira prend autant de place que son cul sur mon matelas.

— Ça te donne mal à la tête de ne pas savoir ce qu'on fait ensemble ici, n'est-ce pas ?

Et elle rit en secouant la tête pour faire bouger sa frange. Elle vient de se la faire. J'aime bien ses cheveux normalement mais là, elle ressemble à un footballeur. Celui qui s'appelle

Hadji. Une frange courte devant et des cheveux longs derrière. Et lui aussi, il avait les cheveux foncés en haut et clairs en bas. Ça ne ressemble à rien. Et elle se tourne vers Bouche de cheval :

— Je te l'avais dit qu'elle tirerait une tête de conne quand elle nous verrait ensemble. Bon, tu y vas maintenant ?

Bouche de cheval rit. Elle prend une cigarette, elle l'allume et elle m'explique, après avoir tiré une bouffée :

— Comme je n'arrivais pas à te joindre, je suis passée au marché pour voir si tu n'y étais pas. Ça fait plusieurs jours que je passe par là-bas en me demandant si je vais t'apercevoir ou pas.

Bouche de cheval éteint sa cigarette dans le verre où je mets les cendres et dit :

— Comme je voulais absolument te parler avant ce vendredi, je suis passée au marché. Et j'ai attendu que Samira soit seule pour lui parler.

Ce n'est pas la peine que je lui demande comment elle a fait pour la reconnaître.

Je me souviens très bien lui avoir montré Samira au marché un jour qu'on faisait un tour en voiture. Samira la coupe :

— Bon, on s'en fout de comment on s'est rencontrées.

Et en tournant sa tête du côté de Bouche de cheval, elle ajoute :

— Allez, dis-lui pourquoi tu es là.

Bouche de cheval se tourne vers moi :

— Depuis que je suis revenue, j'ai travaillé sur pas mal de choses mais j'ai surtout cherché les acteurs. Et là, j'ai les comédiens pour tous les rôles sauf l'héroïne.

Elle continue :

— Et je voudrais que tu fasses des essais devant une caméra pour moi. Parce que plus on m'envoyait de filles et plus je t'imaginais à leur place. Je suis sûre que tu donnerais bien à l'écran et que tu jouerais le rôle comme personne.

Je suis sonnée comme si quelqu'un m'avait donné une claque. Ou m'avait versé un seau d'eau sur la tête. Whaaaaa ! Qu'est-ce que c'est que ce plan ?

Bouche de cheval continue :

— Je peux te faire des tests d'image, c'est facile. On te donne un texte court, tu l'apprends, tu passes devant la caméra et c'est tout.

— Alors, comment tu trouves ça ? Je n'ai pas bien fait de te la monter jusqu'ici ? me dit Samira en faisant claquer sa langue contre son palais en même temps qu'elle fait un clin d'œil.

Jeudi 10

On est dans le taxi, Samira et moi, pour aller du côté du Jus de Bordeaux, cette laiterie qui est un peu après la médina en allant vers le boulevard Zerktouni. Si tu as faim la nuit après une soirée, il n'y a pas mieux pour remplir le gouffre. Ils te préparent tout ce que tu veux. Mais là, je n'ai pas faim même si je n'ai rien mangé ce matin.

J'ai rendez-vous avec Bouche de cheval dans un bureau pour qu'ils me filment. Samira n'arrête pas de raconter des blagues depuis tout à l'heure. Elle ne s'est pas tue depuis qu'on est sorties de la maison.

— Tu as la diarrhée de la bouche ? je lui dis.

— Et toi, tu es jalouse parce que tu es constipée ? elle répond.

Et elle se tourne vers le chauffeur :

— On est actrices. On va jouer pour un nouveau film aujourd'hui, elle dit, en s'intégrant dans le casting.

— Mmm, marmonne le chauffeur en nous regardant dans le rétroviseur.

Je vois ses yeux dans le miroir. Pédé ! Tu penses qu'on n'a pas une tête à jouer dans des films ? Je n'ai pas le temps de lui répondre et c'est tant mieux.

— C'est juste ici, je fais en lui montrant le trottoir pour qu'il s'arrête.

Il y a une agence Méditel sur la droite. Bouche de cheval m'a dit de la biper quand j'y arrive. Je fais sonner le téléphone de Bouche de cheval et on attend devant l'agence. La vitrine brille tellement qu'on se voit dedans comme dans un miroir. On est vraiment top.

J'ai mis ma jellaba noire, celle qui est bien, pas celle des courses rapides. Avec un foulard à fleurs rouges. Et je me suis lâché les cheveux.

C'est simple mais classe. Samira a mis la jellaba léopard en satin et attaché ses cheveux avec une grosse barrette dorée qu'elle vient d'acheter. Sa frange a un peu poussé et c'est mieux comme ça.

On donne bien. Reste juste à voir si je vais réussir à sortir ce texte de merde. Bouche de cheval m'a donné une page à apprendre. Et même si elle a dit que ce n'est pas un problème si je ne l'apprends pas, j'ai répété, répété, répété le texte jusqu'à ce que tout me rentre dans le crâne. Mais va savoir combien de temps ça va y rester.

Bouche de cheval est en train de traverser la rue. Et elle a encore fait une queue-de-cheval à sa tignasse, comme l'autre jour. J'ai mal au ventre. J'aurais dû manger quelque chose avant de sortir.

— *Salam*, elle dit.

Et elle salue Samira aussi :

— C'est bien que tu sois venue.

Les lèvres de Samira arrivent à ses oreilles. Elle est contente, l'infortunée. On s'engage dans une petite ruelle qui croise l'avenue et on arrive devant un immeuble sur la droite. C'est un immeuble normal. Bouche de cheval, sans s'arrêter, me montre une plaque du doigt.

— C'est ici.

On passe devant vite fait et je n'ai pas le temps de lire ce qu'il y a écrit parce que c'est en français. Mais j'ai eu le temps de voir le dessin dessus : c'est un cheval bleu qui saute avec des étoiles qui courent derrière lui. Je donne un coup de coude dans le ventre de Samira en lui montrant la plaque et Bouche de cheval qui passe devant, comme si elle se reflétait dans un miroir. Samira met un doigt devant sa bouche pour me dire de me taire mais elle retient un rire elle aussi.

— C'est au sixième étage, dit Bouche de cheval en nous montrant l'ascenseur.

On y est serrées comme des sardines. Et, avec cette lumière blanche, je vois les points noirs de Samira. L'ascenseur s'arrête en face d'un appartement grand ouvert. On passe devant un bureau où il y a une dame assise devant un ordinateur, derrière un comptoir. On la voit à peine. Elle ne lève pas les yeux quand on passe et elle ne salue pas. On continue dans un couloir.

Sur notre gauche, il y a plusieurs portes fermées et un coin qui ressemble à une cuisine où il y a une vieille femme. Je crois qu'elle est en train de préparer du thé.

Samira et moi, on marche côte à côte. On se rentre dedans parce que le couloir est étroit et on regarde autour de nous. Tout est jaune par ici. Les murs, les carreaux sur le sol. Tout.

Bouche de cheval marche vite. On n'a encore vu personne à part la femme de ménage et la muette qui était assise à l'entrée.

Le couloir se termine sur une pièce où on entre. Là, il y a une dame qui est assise derrière un bureau qui ne fait pas la longueur de mon avant-bras. Elle a une tonne de photos et de feuilles devant elle. Elle lève la tête vers nous et se lève en tendant la main :

— *Salam.* Jmiaa ?

Samira tend sa paume dans ma direction pour lui montrer que c'est moi, Jmiaa. Je lui tends la main. Elle me dit :

— Lamia. Je suis directrice de casting. C'est moi qui vois les acteurs pour le film.

— *Salam,* je réponds en lui tendant la main.

Elle me désigne la pièce à côté pour que je passe devant elle.

Je crois bien que j'ai oublié le texte.

Les murs sont blancs. Il y a une caméra au milieu et trois chaises. C'est tout ce qu'il y a. Cet endroit ressemble à un hôpital.

J'ai oublié le texte, c'est sûr.

Derrière les chaises, il y a une grande fenêtre avec un balcon qui donne sur l'immeuble d'en face. Bouche de cheval et Samira nous suivent.

— Bon, on va commencer par des choses simples. Pour l'instant, on ne va pas utiliser le texte que je t'ai donné, m'explique Bouche de cheval. D'abord, tu vas te mettre ici, tu vas regarder du côté de la caméra. Tu vas dire tes nom, prénom, ton âge, te tourner à droite, à gauche et ensuite regarder la caméra et sourire. Mets-toi là.

Bouche de cheval me montre une place à petite distance du mur. Elle va s'asseoir sur une chaise qu'elle tire sur le côté et la fille qui s'appelle Lamia se met debout à côté de la caméra.

— Mon vrai nom, mon vrai âge, n'est-ce pas ? je précise en passant la main dans mes cheveux pour les aplatir.

Elle dit oui. C'est facile, ça :

— Bent Larbi Jmiaa, trente-cinq ans.

Et je me tourne à droite et à gauche et de face. Je crois que c'était bien.

Bouche de cheval se lève, elle marche vers moi et elle me dit :

— Maintenant, on va jouer une scène simple. Tu vas faire comme si tu recevais un appel de ta mère et que tu ne l'entendais pas. Tu es occupée à marcher dans la rue, ton téléphone sonne et c'est ta mère. Mais tu n'entends pas bien ce qu'elle te dit.

— Et le texte que j'ai appris ?

— Laisse le texte pour le moment.

Aujourd'hui, j'ai de la chance.

— Donc tu marches, le téléphone sonne et c'est ta mère, OK ?

— Mouy ? je répète derrière elle.

— Oui, ta mère ?! elle me répond comme si elle me posait une question.

Je n'ai aucune envie de parler à Mouy. Même en faux.

— Tu sais quoi, fais comme si tu parlais à ta sœur, ajoute Bouche de cheval. Même si tu n'en as pas. Ou alors comme si tu parlais à Samira mais que tu ne l'entendais pas.

Je t'ai dit que j'ai de la chance, ce matin.

— D'accord, je réponds. Et qu'est-ce que je lui dis ?

— Ce que tu veux. Fais comme tu aurais fait dans la vraie vie.

Et elle ajoute :

— C'est bon, on y va ?

S'il n'y a pas de texte à apprendre, ça va être facile. Je vais faire des poses devant la caméra et c'est tout.

Bouche de cheval me prévient de la main que je peux commencer à parler. Un bouton rouge s'allume du côté de la caméra.

— Allô, Samira ? Tu es où ? je dis en prononçant bien et en regardant la caméra en face.

Je fais un sourire impeccable, je mets mon sac sous mon épaule et je continue :

— Non, je ne peux pas te parler maintenant. Plus tard.

Je marche un peu vers la droite, comme si j'étais dans la rue :

— Non, je ne t'entends pas bien. Il y a des bruits qui me dérangent.

Je mets mon doigt dans l'autre oreille et je regarde vers le ciel. Je fais attention à ce que mon petit doigt soit levé, bien séparé des autres. Ils font ça dans les films quand il y a une fille de ces grandes familles et qu'elle parle au téléphone. Demi-tour !

Bouche de cheval est en train de mâcher ses cheveux. Samira retient un rire. Qu'est-ce qu'elle a cette merde à se marrer ? Je m'occuperai d'elle plus tard.

J'attends un peu, comme s'il y avait quelqu'un qui me répondait de l'autre côté du téléphone et je dis :

— Non, plus tard. Je ne peux pas te parler maintenant, je continue en regardant bien la caméra et en posant bien comme il faut.

Samira me dérange. Je ne vois plus qu'elle et son sourire. Elle est posée avec les fesses qui dépassent de chaque côté de la chaise, ses pieds croisés sous sa jellaba, et elle cache ses dents tordues avec ses gros doigts boudinés de masseuse de hammam. Quelle merde celle-là !

Bouche de cheval est assise sans rien dire. Elle regarde dans ma direction.

Il faut que je fasse attention à mes mains. J'ai tendance à les utiliser un peu trop quand je parle :

— Allô, Samira ? Oui, je t'entends. Je suis un peu occupée ces derniers jours. Je pourrais te rappeler plus tard quand je serai libre ?

— Pfffff !

Connasse de Samira !

— Pourquoi la putain de ta mère tu rigoles ? je lui dis en la regardant et en envoyant ma main droite sur le côté. J'ai envie de lui en mettre une.

— La putain de ta mère à toi. Tu m'as jamais parlé de cette façon !

Et elle m'imite en se faisant doucereuse comme une pute, la main à l'oreille comme si elle tenait un téléphone :

— Allô, Samira ? Non, je ne peux pas te parler maintenant. Je suis occupée.

Elle parle doucement, en étirant chaque mot et en mettant ses lèvres de suceuse en avant comme s'il y avait un mec qui l'attrapait par l'arrière. Connasse !

Je hurle :

— Qu'est-ce que tu déblatères ? Et qu'est-ce que tu t'y connais là-dedans pour ouvrir ta grande gueule ?

Je vais lui montrer moi, ce que c'est que de parler comme ça. Je marche vers elle. Elle se lève aussi. Je suis bien campée sur mes jambes. Elle aussi mais si elle compte m'effrayer, elle se trompe. Si elle rajoute un seul mot, je lui déforme le visage.

— Impeccable ! C'est exactement ce qu'il faut.

Bouche de cheval saute, en posant une main sur ma poitrine et l'autre sur celle de Samira. Je ne sais pas d'où elle est sortie celle-là ! Elle est entre nous et elle se tourne vers la fille qui tient la caméra.

— Repasse-moi ça.

Et vers moi :

— C'est exactement comme ça qu'il faut faire. Lance-toi sans réfléchir. Tu vois ce que tu as fait avec Samira tout de suite ? C'est comme ça qu'il faut faire.

Et elle se tourne vers Samira en riant :

— C'est vraiment bien que tu sois venue, je te jure.

Comment ça, comme ça qu'il faut faire ? Qu'est-ce qu'elle veut cette conne ? Qu'on s'engueule, Samira et moi ? C'est ça qu'elle veut ?

Bouche de cheval est derrière la caméra. Elle regarde sur un petit écran, comme une télévision, qui sort sur le côté de la caméra.

— Viens voir, elle fait en disant viens avec sa main en direction de Samira et moi.

Dans la télévision, Samira et moi, on est sur le point de se taper dessus. On ressemble à des sorcières et il n'y a rien à voir dans ce spectacle. On hurle.

— Tu vois, c'est impeccable ! Regarde.

Impeccable, d'où c'est impeccable ? Samira est debout, moi je suis face à elle. Nos poings sur nos hanches. Et moi, j'ai une touffe de cheveux qui me sort de la tête comme une antenne.

— T'es malade ou quoi ? je dis en me tournant vers Bouche de cheval. Tu penses que tu vas me filmer comme ça ? Tu veux me ridiculiser ?

Et je me tourne vers Samira en rigolant.

— Elle est malade celle-là.

— Bon, tu sais quoi ? On va fumer une clope, répond Bouche de cheval en ouvrant la porte qui donne sur l'extérieur.

*

On est sur le balcon. Si elles n'avaient pas insisté comme elles ont insisté, je me serais barrée tout à l'heure. Elle veut me filmer avec les cheveux au ciel, elle n'est pas malade, celle-là ?

— Prends.

La vieille qui était dans la cuisine me tend un plateau sur lequel il y a des verres remplis de thé pour que je me serve. Son visage est tout fripé et elle porte une blouse blanche.

Je prends un verre.

Je suis restée debout. Il n'y a que trois chaises minuscules sur le balcon. Tu ne pourrais pas y poser la moitié d'une cuisse tellement elles sont petites. Et elles sont basses en plus. Alors je suis restée debout. Bouche de cheval prend un verre et dit à la vieille, en se baissant comme si elle avait devant elle le roi :

— Dieu te garde, Mouy Mina.

L'autre sourit, la bouche béante. Un roi sans dents. Et elle repart d'où elle est venue.

— Il faut que ce soit comme dans la vraie vie. C'est du cinéma mais il faut que ce soit comme la vie. Pour que les gens y croient. Qu'ils pensent que c'est vraiment arrivé.

— Tu veux me ridiculiser ? Que je passe à la télévision dans cet état ? Ça ne va pas, non ?

Samira est d'accord avec moi. Elle ne dit rien mais elle est d'accord, ça se voit. Au moins, il y a quelqu'un ici qui comprend.

— Attention, il n'y aura pas de scènes comme celle-là dans le film. Et il n'y aura pas de scène où tu sembleras moche ou alors où tu ne te plairas pas, me répond Bouche de cheval. Ce que je voulais dire tout à l'heure, quand tu parlais à Samira, c'est que c'était réel. Dans la caméra, c'était réel et ça se voyait, tu comprends ce que je veux dire ?

— Bien sûr que c'était réel. J'ai failli lui arracher sa tignasse.

Samira est silencieuse. Elle a déjà fini sa cigarette et elle a les bras croisés et posés sur sa poitrine.

— Ce que je veux dire, c'est que c'était vrai. Ce que ça donne à la caméra quand tu es toi, c'est quelque chose de top. Écoute, il y a un tas d'actrices. Il y en a qui sont fortes, il y en a qui sont moyennes. Il y en a des belles, des moches, des grosses, bref, il y a un tas d'actrices. Et chacune, quand elle est choisie pour un film, est prise soit parce que le réalisateur veut la faire tourner elle et pas une autre soit parce qu'elle a quelque chose que les autres n'ont pas. Toi, tu as les deux. Je veux que tu joues dans le film. Et tu as une force qui se dégage de toi qui… qui remplit la pièce. Qui remplit l'écran.

Samira hoche la tête de haut en bas. Elle pense que je devrais le faire.

— Il va y avoir du maquillage, ils vont t'habiller. Ça va être un truc bien, tu vas voir. De toute façon, je te l'ai dit, ce n'est pas un film qui va passer au Maroc. Il ne va passer qu'à l'étranger, là où les gens comprennent que c'est un film et que tu dois jouer le rôle comme les choses se passeraient dans la vie.

Elle se tait et on continue à tirer sur nos

cigarettes. Il y a des nuages qui commencent à couvrir le ciel. On reste comme ça pendant un petit moment. J'éteins ma cigarette dans le cendrier qui est par terre et je me lève en rentrant dans la pièce :

— Allez, on y va.

J'ouvre mon sac. Les trois autres me regardent. Je sors mon miroir et le rouge à lèvres, je le passe en prenant mon temps sur mes lèvres, je m'arrange les cheveux. Je marche vers le centre de la pièce et je leur dis, en regardant par-dessus mon épaule :

— Vous attendez quoi pour attraper la caméra ? Une convocation officielle ?

La Lamia se met derrière sa caméra, Bouche de cheval s'assoit sur le côté et Samira se pose comme un cancre sur la chaise du fond.

Je commence :

— Allô, Samira ? Écoute, je ne peux pas te parler maintenant, je crie en me bouchant l'oreille où il n'y a pas le téléphone.

Et j'ajoute en faisant une grimace, debout en biais, mon côté droit vers la caméra :

— Je te rappelle plus tard ! Hein ? Je te rappelle plus tard. Pourquoi ? Je ne t'entends pas. Allô ? Pff.

J'essaie d'entendre la réponse de Samira dans le téléphone mais ce putain de réseau est naze. Je continue :

— Je t'ai dit que je te rappelle plus tard. Ouais, ouais, c'est ça. Allez, casse-toi. Au revoir.

Et je raccroche. Je regarde Bouche de cheval.

On voit toutes ses dents. Je crois que j'ai bien fait. Elle dit :

— Impeccable ! C'était très bien. On fait un dernier essai avec le vrai texte.

Lundi 28

Décidément, ces derniers temps, mon sort est étrange. Si j'ai un mort qui veille sur moi, je n'ai aucune idée de qui ça peut être.

À Casablanca et dans tout le Maroc, le bordel qui a commencé le jour où l'autre Tunisien s'est versé de l'essence sur la tête est arrivé chez nous. Ça fait deux dimanches que le centre-ville ne désemplit pas. Tous ceux à qui il manque quelque chose, tous ceux qui ne trouvent rien à se mettre sous la dent, tous ceux qui sont en guerre avec leurs femmes, tous ceux qui ne sont pas contents de leur circoncision, tous ceux-là descendent dans la rue. Chacun avec sa demande.

Moi, ils me saoulent. Il n'y a plus aucun ordre par ici. Quand je les ai vus arriver, je me suis dit que ça ferait peut-être du travail en plus ou quelque chose comme ça. Mais en fait, il n'y a ni travail ni rien. Il n'y a que des emmerdes, comme toujours.

Hier, on était dimanche, j'étais tranquillement en train d'attendre dans la rue. Un peu plus loin que le marché, dans cette rue qui mène à l'avenue. Comme ça, je pouvais m'occuper de mes affaires et voir en même temps ce qui se passait du côté des manifestants.

Quand j'apercevais un flic ou un Cimi*, je m'éloignais un peu pour qu'il ne me fasse pas chier. Avec tout ce bordel qu'ils ont autour d'eux en ce moment, ils démarrent au quart de tour. Et moi, je n'ai aucune envie de me prendre une matraque perdue alors que ça fait à peine quelques jours que je suis redescendue.

Bref, j'étais debout dans la rue et un groupe de jeunes s'est approché de moi. Moi, je n'aime pas les jeunes quand ils traînent en meute. Ils n'ont ni religion ni appartenance. Avec eux, il faut avoir l'œil ouvert parce que tu ne sais jamais ce qui peut arriver.

L'autre soir, Samira a failli se faire tailler en morceaux. Il y a trois gamins qui étaient venus la voir. Elle en a monté un avec elle et quand il a fini, il lui a dit que c'est son copain en bas qui avait l'argent. Ça a énervé Samira mais elle est descendue quand même avec lui. Elle avait l'intention de prendre l'argent et d'envoyer les deux autres chier s'ils voulaient faire quelque chose avec elle. Une fois arrivée en bas, ils n'ont pas voulu la payer. Alors elle a dit à celui qu'elle avait fait monter, en le regardant droit dans les yeux :

— Donne-moi mon dû, sale gamin. Donne-moi mon dû ou je vous fous la honte à toi et à toute ta lignée.

— Ah oui ? Et qui va faire attention à toi à cette heure-ci, sale pute, il lui a répondu en regardant autour de lui à droite et à gauche dans la rue vide.

Il n'y avait que Samira et ses deux copains autour. Samira s'est énervée et elle s'est mise à dire doucement, puis, n'ayant pas de réponse du gamin, de plus en plus fort :

— Donne-moi mon dû, donne-moi mon dû, donne-moi mon dû.

À la cinquième ou sixième fois, elle a lâché sa sirène. Et d'habitude, ces morveux, ils ont peur quand tu te mets à crier. Mais les teignes de ce soir-là n'ont pas bougé et celui qui était monté avec elle lui a soufflé dans le visage, avec un sourire vicieux :

— Tu vois ce que je t'ai fait en haut ? Ben, je vais te le refaire ici. Dans ce coin, sous le porche. Et cette fois, mes copains vont se joindre à moi, il a ajouté en lui montrant la porte du bâtiment à côté du restaurant qui vient d'ouvrir et en commençant à défaire sa braguette.

Le temps qu'il finisse sa phrase, il a réalisé que Samira était en train de détaler en direction de notre immeuble en gueulant tout ce qu'elle pouvait. Il devait être une heure du matin. Les trois autres l'ont poursuivie en criant eux aussi. Ils l'insultaient :

— Sale pute, on va t'attraper et te déformer le visage.

Samira a monté sa jellaba au niveau de sa taille en l'attrapant de ses deux mains, elle a abandonné ses sandales dans la rue et elle a tapé un sprint comme elle n'en avait pas tapé depuis longtemps, elle a dit. Ce n'est qu'une fois arrivée au bas de l'immeuble, sur la place où il y a le gardien de nuit, qu'elle s'est retournée pour les insulter et leur balancer des pierres à la figure. Ils se sont enfuis par là où ils étaient venus. Et Samira est montée, les cheveux en pagaille. Elle m'a réveillée et on a fini ma bouteille pendant qu'elle les traitait de tous les noms qu'elle connaissait, ces fils de pute. S'ils l'avaient attrapée… Il vaut mieux ne pas y penser.

Bref, hier, quand ces gamins se sont approchés, moi comme une conne j'ai tourné dans la toute petite rue sur la gauche, juste pour voir s'ils allaient me suivre ou pas. Ils m'ont suivie. J'ai accéléré pour les distancer. La rue fait un coude et je savais qu'au bout, il y avait l'avenue pleine de monde. Mais de là où j'étais, je ne la voyais pas. Cette rue est particulière : tu avances normalement sur le goudron et à un moment, la route passe sous un immeuble. Comme un tunnel. En arrivant au tournant, j'ai vu que la rue était bouchée au fond par des barrières. J'ai vite fait demi-tour en pensant que de toute façon on était en plein jour et que ces jeunes pouvaient faire ce qu'ils voulaient, ça n'irait pas très loin. L'un d'eux m'a regardée et m'a dit :

— Viens par là, toi. Tu vas où ?

Je me suis tournée de leur côté et je les ai mieux regardés. Ils n'étaient pas de ces chiens en meute. Ils étaient propres et bien habillés. Des étudiants sûrement. Mais ne va pas croire qu'ils étaient souriants et bienveillants pour autant. Ils me regardaient comme s'ils avaient devant eux une merde puante, sauf ton respect. Je n'ai pas répondu et j'ai continué ma route. Ils ont traversé pour se mettre en face de moi. Ils m'ont encerclée. Ils étaient quatre. Une jellaba violette est passée au bout de la rue. Je l'ai hélée mais elle a décampé. Quand j'ai vu que j'étais coincée, je me suis adoucie en me disant que j'allais les amadouer, j'ai mis les mains sur les hanches et tout en penchant ma poitrine vers eux, j'ai dit :

— Lequel d'entre vous veut une douceur ?

Ils se sont regardés en riant et tous en même temps, ils se sont mis à dire :

— Saleté !

— On va te donner une leçon que tu ne vas pas oublier.

— Ça t'apprendra à descendre dans les rues pour tortiller ton derrière.

— ... pervertir les gens...

— ... diable...

— ... droit chemin...

Au bout d'un moment, je n'entendais que des bouts de ce qu'ils racontaient tellement ils parlaient en même temps. J'étais sur le point de me mettre à les insulter et à en pousser un pour détaler quand j'ai entendu une grosse voix derrière eux dire :

— Qu'est-ce que vous faites ? On est venus

pour manifester, pas pour nous occuper de choses comme ça.

Les types ont sursauté et se sont retournés vers l'homme. Il devait avoir dans les cinquante ans. Il portait un pantalon de costume gris et une chemise blanche. La première chose que j'ai vue, c'est qu'elle était très propre. Lui avait des cheveux moitié noirs, moitié gris. Avec une petite barbe bien taillée, très noire. Il n'a pas tourné la tête de mon côté un seul instant. Son visage n'exprimait rien de particulier. Dès qu'il a parlé, l'homme nous a donné du dos et s'est mis à marcher. Il n'a pas eu besoin d'en dire plus pour que les autres chiens mettent leur queue entre leurs jambes et le suivent. Je ne sais pas si c'était leur chef ou leur imam ou quoi. Ces organisations islamiques, je ne sais pas comment ça fonctionne.

Derrière eux, la jellaba violette qui courait tout à l'heure fermait la marche. C'est elle qui avait appelé le vieux. Quand mon regard a croisé le sien, la femme a baissé les yeux.

C'était Halima. La Halima qui était avec moi dans ma chambre.

Je n'ai pas eu le temps de lui dire quoi que ce soit. Parce que tout ce que je te raconte s'est passé en un éclair. De toute façon, il n'y avait rien à dire. La vérité, c'est que quand je l'ai vue, je me suis sentie un peu bizarre. Mais ce n'est pas grave, si ça se trouve, elle ne sait pas que c'est moi qui ai dit à Houcine de la dégager.

Et puis, chacun son destin après tout. Je

commence à croire en ces conneries. Qui aurait cru par exemple que j'allais jouer dans un film ? Qui aurait dit que j'aurais en plus le rôle le plus important et qu'ils me paieraient bien ? Qui ? Personne.

Peut-être qu'il y a des choses qui arrivent pour rien dans la vie. Et peut-être aussi que tout ce qui se passe, c'est déjà prévu, planifié, tracé, tout. Comme dans un film.

MARS

Mardi 15

La journée est terminée et je n'ai pas encore bu un verre. J'ai pris juste ces cachets qui m'assomment un peu et je suis assise seule dans ma chambre.

Devant moi, j'ai le scénario.

Quand le mec qui travaille avec Bouche de cheval me l'a donné – c'était il y a une dizaine de jours –, il m'a expliqué que je devais apprendre ma partie, c'est-à-dire tous les endroits où il y a écrit « Hasna ». Et tu sais combien de fois il y a écrit Hasna dans le cahier ? Mille ou deux mille fois. Je ne sais pas comment je vais faire pour que tout me rentre dans la tête.

Par contre, je n'ai pas eu de problème à retenir l'histoire parce qu'elle est facile. C'est comme un film. Tu la suis et c'est tout.

Dedans, je m'appelle Hasna. Je travaille dans la rue et j'ai un copain. Lui, il s'appelle Brahim.

Je n'ai jamais été mariée et je n'ai pas d'enfants. Je ne parle plus à mes parents, ni à ma famille. Je n'ai pas de copines, je n'ai personne. Et j'habite presque dans la rue. La vérité, c'est que je suis dans une situation pourrie.

Le gars qui est mon copain, c'est un de ces fils de pute ! Tu ne peux pas imaginer à quel point c'est un fils de pute. Lui et moi, on décide de faire un coup ensemble dans une bijouterie – genre pour se sortir de notre merde. Moi, je lui donne le programme du bijoutier, un vieux croulant, qui est dans la rue où je travaille. Je décris à mon copain ses habitudes et lui, il fait le casse. Ce pédé, quand il le réussit, il prend toutes les chaînes, tous les bracelets, toutes les gourmettes et il déguerpit en me laissant comme une conne sur le trottoir. Ensuite, il se passe un tas de trucs. Avec la police, les voisins… C'est un bordel pas possible. Il y a des enquêteurs qui viennent, ils interrogent les gens. Moi aussi je me fais interroger mais ils ne savent pas que je suis avec lui dans le coup. Et à côté de ça, il se passe d'autres choses aussi : je rencontre un autre mec à qui je plais et qui s'appelle Mouad, un de mes clients se suicide, je me fais agresser. Là aussi, c'est un bordel sans nom.

Ensuite, le Mouad et moi, on se met ensemble et on part à la recherche du bâtard. On a de la chance parce que – bien fait pour sa race – on le retrouve mort dans une chambre sous un toit dans laquelle il s'était planqué. Et comme il n'avait dit à personne où il était, personne ne l'a retrouvé. Donc on le trouve, on prend tout l'or et on se barre. Tu nous vois partir dans une voiture sur une route où il n'y a personne, on n'est que tous les deux, il y a de la musique, le sac plein d'or est sur mes genoux et on est contents. Mais ce n'est pas encore la fin.

On s'arrête à une station de service pour mettre de l'essence à la frontière algérienne, je descends pour pisser et quand je reviens, le pédé a détalé en me laissant au milieu de nulle part. Et ça y est, le film est fini.

À vrai dire, cette partie je la trouve minable et si c'était moi qui avais écrit le scénario, je me serais arrêtée avant, quand on était dans la voiture. Mais cette conne de Bouche de cheval n'a pas voulu, et du coup c'est ça l'histoire.

Le gars qui me l'a donné m'a dit qu'à partir de maintenant, il fallait que ce cahier soit tout le temps avec moi. Que je passe tout mon temps libre à le lire. Quand je serais en train de manger, quand j'attendrais quelque part, quand je serais aux toilettes, tout le temps jusqu'à ce que ça me gave. Comme si j'avais trop mangé. Et qu'au lieu que ce soit la nourriture qui soit sur le point de ressortir de ma bouche, ce soit le texte.

Et c'est ce que je fais. Dès que je peux, je prends le cahier et je le lis. Je lis, je lis, je lis. Tout le temps. Au début, c'était un peu dur parce que ça faisait depuis la fin du primaire que je n'avais rien lu à part les enseignes mais là, ça va. C'est revenu.

Quand je ne lis pas, je révise dans ma tête. Mon travail dans la rue, je lui accorde le minimum de temps pour payer ce que je dois à qui je le dois.

Sauf à mon mari parce que je crois que j'ai réussi à me débarrasser de lui pour un bout de temps. Je ne lui ai pas dit que j'ai repris le travail. Chaque fois qu'il a appelé, je lui ai raconté que je ne pouvais pas, que j'étais dans un sale état. Et à chaque fois, je me suis arrêtée dans la description de ma situation pourrie juste avant d'attirer le mauvais œil. On ne sait jamais. J'ai fait même mieux que ça : la dernière fois que je lui ai parlé, je lui ai dit qu'il devait – lui – m'envoyer de l'argent pour m'aider à payer les médicaments et envoyer l'argent pour sa fille à Mouy. Depuis ce jour, il n'a plus appelé. Je suis tranquille pour un moment.

Tu sais, je ne vais dire à personne que je tourne dans un film. Sinon ils vont tous se mettre à faire des plans sur la comète. Comme si j'allais me faire des milliards. Bon, honnêtement, ce que je vais rentrer, ce n'est pas mal. Je ne vais pas devenir aussi riche que le roi mais je me suis bien débrouillée.

Ils m'ont téléphoné un matin, je venais de me réveiller. C'était un mec dont je n'avais jamais entendu parler. Il a dit qu'il appelait de la part de la société de production du film. Il voulait que je passe le voir dans l'après-midi, dans le même endroit que celui où je suis partie pour me faire filmer la première fois. J'ai dit d'accord mais comme je ne savais pas qui était ce maquereau, j'ai appelé Bouche de cheval pour me renseigner. Finalement, elle le connaissait. Elle savait qu'il m'appelait pour parler d'argent. Pour me dire combien je serais payée pour le film.

Je me suis habillée, je me suis arrangée et je suis partie. Seule. Je n'ai pas pris Samira avec moi. J'ai vu qu'elle était occupée alors je ne lui ai pas proposé de venir. Et à vrai dire, c'est mieux comme ça.

Quand je suis arrivée, la muette qui est à l'entrée m'a fait entrer dans une des pièces qui étaient fermées la première fois. Elle était jaune aussi, comme le couloir. Il y avait un homme assis dedans. Je suis entrée et je suis restée debout jusqu'à ce qu'il me dise de m'asseoir. Il portait des lunettes. Il était grand. Et plutôt maigre. Il avait un air sérieux, comme un directeur d'école. Il m'a stressée. Je me suis assise et je n'ai presque pas parlé. Il m'a dit qu'ils allaient me donner deux millions et qu'il allait préparer le contrat. Et après je suis partie. C'est tout. Je n'ai pas eu le temps de comprendre ce qui se passait que c'était déjà fini.

Quand j'ai dit à Bouche de cheval combien ils m'avaient proposé, elle a fait une tête bizarre et quand j'ai creusé un peu pour savoir pourquoi elle tirait cette tronche, j'ai compris que j'aurais pu en avoir plus. Parce que dès qu'on va commencer à tourner, ils vont me loger à l'hôtel et je n'aurai plus le droit d'aller travailler. D'ici là, je peux. Mais dès qu'on va commencer le film, je vais devoir arrêter.

Alors on a parlé, on s'est mises d'accord sur le montant que je pouvais demander et j'ai rappelé le mec pour négocier. J'ai été implacable. J'ai demandé cinq millions. Finalement, on a tous les deux pris sur nous et on s'est retrouvés au milieu. Et c'est comme ça que j'ai levé trois millions et demi et que j'ai commencé à travailler pour eux.

Mercredi 23

Je n'aurais jamais pensé que je pouvais être une crack à ce point. Je n'ai aucune idée d'où tout ça m'est venu. Ne va pas croire que ça veut dire que le texte me rentre dans la tête tout seul. Pas du tout et c'est même loin de ça. C'est juste que je travaille sérieusement. Dès que je ne suis pas au marché, j'ingurgite du texte. J'ai même mis en place tout un système de révision.

D'abord, comme ce n'est pas pratique d'avoir un aussi gros cahier sous le bras, la première chose que j'ai faite, c'est que j'en ai arraché toutes les feuilles. C'est plus facile de se promener avec des feuilles qu'avec un cahier. Et surtout, ça m'évite de me taper la honte. L'autre jour, je ne sais pas ce qui m'a pris mais je suis sortie en emmenant tout le cahier. On ne voyait que lui. Tout le quartier s'est foutu de ma gueule : « Tu révises tes cours d'anatomie ? »,

« Tu trouves que tu n'as pas assez d'épaisseur arrière pour t'asseoir ? », « Tu as été embauchée à la moqataa* pour services rendus ? ». Mais laisse-les rire. Ils sont tous là bouches grandes ouvertes mais après, on va voir qui va rigoler. Pendant que je me ferai de l'argent, eux gobe-ront les mouches.

Ici, à la maison, j'ai entassé toutes les feuilles. Elles sont bien rangées. Quand je descends pour faire monter quelqu'un, je les ramasse vite fait en un seul grand paquet que je cache sous la table. Et je couvre le tout d'une nappe en plastique qui descend jusqu'au sol.

Et si j'ai envie de réviser alors que je suis dans la rue, j'embarque juste la feuille qui m'inté-resse. Quand je ne me souviens pas du texte, je la déplie d'un coup, je la lis et je la remets à sa place, dans mon soutien-gorge. Jusqu'à présent, personne ne s'est rendu compte de rien.

Il faut dire aussi que je suis chez moi la plu-part du temps. Et que depuis que j'ai commencé à bosser sur le film, je ferme la porte de ma chambre pour être tranquille. Je ne descends que quand je dois descendre. Et dès que j'ai fait le plein pour la journée, je remonte me froisser.

— Sésame ? Sésame ? Sésame, ouvre-toi !

Samira chuchote derrière la porte :

— Sésame, la putain de ta mère, ouvre cette porte si tel est ton plaisir.

Dès qu'elle a un moment, elle vient me voir et on révise toutes les deux. Elle prend le texte, elle se concentre à fond pour réussir à déchiffrer tout ça et elle fait les autres personnages. De mon côté, je dis ce que j'ai retenu quand c'est la Hasna qui parle. Quand j'oublie un mot ou une phrase ou le truc qui vient après, Samira me dit ce que c'est.

Je lui ai promis que je l'emmènerai avec moi un jour sur le film. Ils ont annoncé que ça allait commencer au début du mois d'avril. Et que ça allait durer un peu plus que un mois. Cinq semaines.

J'ouvre la porte et un courant d'air froid entre dans la chambre. C'est l'heure de se réchauffer.

— Alors, on en était où ? me dit Samira en faisant du théâtre avec son bras.

— Entre, on va prendre un verre et ça va nous revenir, je réponds.

Elle entre et elle s'assoit :

— Alors, comment ça s'est passé ? Tu y as été aujourd'hui ?

— Assieds-toi d'abord, je lui dis, en sortant la bouteille qui reste dans le placard.

J'ai été faire les essayages aujourd'hui. Toujours au même endroit. J'ai emprunté une jellaba à Samira pour changer un peu et j'ai mis ce foulard que m'a donné Chaïba quand j'étais malade. Du temps où je lui parlais encore. Parce que depuis, j'ai décidé de ne plus fréquenter cette merde. Tu te souviens que ce pédé était parti avec Hajar pour me faire chier quand je ne lui ai pas répondu au téléphone ? Et tu te souviens aussi que quand j'étais malade, il m'avait envoyé de l'argent avec Samira ?

Moi, quand il m'a aidée, j'ai passé l'éponge pour Hajar. Je me suis dit que tout le monde pouvait se tromper et faire des conneries. Et comme en plus l'autre salope ne rate pas une occasion de me faire chier, je me suis dit qu'elle avait dû l'allumer un soir où il était bien bourré. Et je lui ai pardonné.

J'étais sur le point de l'appeler pour lui parler et qu'on se voie mais il ne m'en a pas laissé le temps. Il y a dix jours, je suis tombée sur lui par hasard au Pommercy. Encore avec l'autre pute de Hajar. Et ensuite, Samira m'a raconté qu'elle les avait croisés deux fois ensemble. Et l'autre salope, chaque fois qu'elle se tournait du côté de Samira, elle lui montrait toutes ses dents.

De toute façon, depuis le début, je suis sûre qu'elle ne tortille son cul devant Chaïba que pour que Samira vienne me le dire. Je sais très bien comment elle fait, cette pétasse. Elle allume les mecs en leur faisant le regard de la chienne alanguie sur le foin. Et elle marche en sortant ses fesses vers l'arrière, comme une oie. Moi, je veux bien croire qu'à chaque fois que Bouchaïb est parti avec elle, c'est elle qui l'a allumé. Mais lui, quoi ? Il a mangé de la cervelle de hyène pour être aussi con ? À me foutre la honte comme ça. À partir avec cette traînée qui ne vaut rien. Devant tout le monde. Partir avec elle alors qu'il sait qu'elle et moi on est comme chat et rat ! Non, ça, ça ne passe pas.

Dans tout ça, je ne sais même plus ce que je te racontais ni où j'en étais arrivée dans mon histoire. Ah oui ! Je te disais que j'étais allée au bureau pour essayer les vêtements.

Quand je suis arrivée, c'est la première fois qu'il y avait autant de monde. Ça grouillait de partout et je me suis sentie perdue. Les anciens disent : « Si tu es perdue, accroche-toi au sol. » C'est ce que j'ai fait. Je me suis assise sur une des trois chaises alignées dans l'entrée.

La muette n'était pas à sa place et j'ai attendu que quelqu'un vienne. Un tas de gens sont passés devant moi. Il y en a qui entraient, d'autres qui sortaient. Il y en avait de toutes les couleurs : des blonds, des têtes noires, des café au lait. Il y en a qui parlaient en arabe, d'autres en français et d'autres qui parlaient une langue qui ressemble à du berbère mais qui n'était pas du berbère. Je crois que c'était du hollandais. Et tout le monde était occupé.

Au bout d'un moment, il y a une fille qui est venue et qui m'a demandé si j'avais besoin d'aide.

Je lui ai dit que j'étais là pour essayer des vêtements. « OK, c'est pour qui ? »

Je l'ai regardée. Je n'ai pas compris sa question de merde. Comment ça, c'est pour qui ? C'est pour moi. Alors, je lui ai répondu :

— Jmiaa.

Elle m'a regardée avec le regard de quelqu'un de débile. J'ai compris qu'elle devait être un peu diminuée, alors je lui ai sorti ma carte nationale. Elle l'a attrapée mais elle n'a même pas jeté un œil dessus. Elle m'a dit en me la rendant :

— Et c'est pour quel rôle ?

— Je m'appelle Hasna. C'est moi qui joue le rôle de la fille, celle qui se fait avoir à la fin par l'autre pédé de Mouad.

Tout de suite, ça lui a parlé. Elle a montré ses dents en souriant et elle a dit :

— Ah ! *Salam*, je m'appelle Yasmine.

Puis elle a ajouté :

— Viens avec moi.

Et elle s'est mise à avancer dans le couloir jusqu'à ce qu'on arrive devant une porte qu'elle a poussée. Elle a lancé, en parlant à deux dames qui étaient assises dans la pièce :

— C'est pour Hasna.

Elle m'a dit que ces gens allaient s'occuper de moi. Et elle est partie.

La pièce était vaste. C'était un salon mais il n'y avait dedans ni matelas, ni table, ni rien. Il n'y avait que des vêtements accrochés sur des penderies. Et sur le côté, adossée à un mur mitoyen à une grande fenêtre, il y avait une longue table couverte d'un tas de tissus, avec des ciseaux, des épingles, bref, des trucs de couture. Y travaillaient deux dames. Une blonde, étrangère, géante avec des cheveux courts, un peu en pagaille. Et une jeune, marocaine, debout en face d'elle.

La blonde devait avoir dans les cinquante ans. Elle a dit qu'elle s'appelait Ludmilla. Je me souviens de son nom – même s'il est bizarre – parce qu'il y avait une Ludmilla dans un feuilleton mexicain que j'ai vu il y a longtemps.

La jeune qui était avec elle avait des cheveux noirs, bouclés. Elle, comme elle est marocaine, elle s'appelle Lamia. Elle portait un jean. Elle était normale. Elles ont souri toutes les deux et elles ont posé le tissu. Ensuite, elles m'ont fait essayer trois jellabas normales. Il y en avait une noire, une verte et une rouge avec des motifs à fleurs jaunes dessus. On a vite fini. Les jellabas étaient à ma taille, pile poil. C'est ce qui est venu après qui m'a foutu la trouille.

— Tiens, je dis à Samira, regarde si tu comprends quelque chose.

Et je lui donne un paquet de feuilles qu'ils m'ont donné après les essayages. Moi, quand j'y suis allée, je ne savais pas que je devais aller voir quelqu'un d'autre que les couturières. Quand j'ai fini d'essayer la dernière jellaba, la Marocaine m'a dit :

— Viens avec moi, ils veulent te voir à la production.

On a marché jusqu'à ce qu'on arrive dans un bureau que je ne connaissais pas non plus. Il y avait dedans la Yasmine du début. Et c'est là que ça a commencé à être le bordel. La Yasmine s'est mise debout à côté de moi et elle a sorti un tas de feuilles qui étaient rangées dans un dossier rose. Elle les a sorties l'une après l'autre, en les posant sur la table devant moi au fur et à mesure qu'elle me les montrait et qu'elle m'expliquait ce qu'il y avait écrit dedans. Tu veux la vérité ? J'ai pigé que dalle.

Il y avait une dizaine de feuilles, chacune remplie de tableaux, pleines de couleurs. Toutes les couleurs du monde y étaient. Et sur chaque feuille il y avait trente ou quarante lignes, je ne sais pas. Et la Yasmine, elle a dit que j'y trouverais le programme, jour par jour, les endroits où ils vont filmer, les acteurs, le décor, les dialogues du scénario qu'on doit apprendre. C'était écrit en français. Je suis restée debout, je n'ai pas su quoi faire.

De tout ça, il n'y a qu'une chose que j'ai comprise : les cases où il y a la couleur jaune et le chiffre 2, ce sont les jours où je joue. C'est tout ce que j'ai compris de toute cette merde.

Mais je n'ai rien montré. Au bout d'un moment, je ne faisais plus attention à ce qu'elle racontait mais je disais oui quand même. Je l'ai laissée parler jusqu'à ce qu'elle finisse à son aise. Je ne l'ai pas contrariée. Quand elle a fini, j'ai dit que c'était bon et – vite – avant qu'elle ne commence une autre phrase, je lui ai dit qu'il fallait m'excuser mais que je devais partir pour aller voir ma tante paternelle qui est malade. Et je me suis cassée.

Au moins, je suis rassurée : Samira non plus ne comprend rien.

— Alors ? je lui demande à tout hasard en allumant une cigarette.

— Qu'est-ce que c'est que cette merde ?

Je me marre et je réponds :

— Je ne sais pas.

— Tu ne demanderais pas à la jument de t'expliquer ? elle ajoute en se retournant vers moi.

— C'est ce qu'il me semble.

Je ne sais pas comment je vais faire avec tout ça. Je te jure que je ne sais pas comment je vais faire avec tout ça.

AVRIL

Lundi 11

Ça y est, on commence le tournage. C'est comme ça qu'ils disent. *Tournage*. En français.

On est assises Bouche de cheval et moi à l'entrée d'un hôtel qui s'appelle l'hôtel d'Anfa. Il n'est pas très loin du centre-ville, au Maârif, du côté du Twin*. Jusqu'à la fin du tournage, on va habiter ici.

Il est tôt. À peine neuf heures et on a déjà pris le petit déjeuner. On est habillées, nettes. Mes pieds bougent tout seuls. Je n'arrive pas à rester assise tranquille. On attend la voiture qui va nous emmener filmer. Comme c'est le premier jour, on va y aller ensemble. Après j'irai seule, elle m'a dit. Ils vont m'envoyer une voiture avec un chauffeur. Il va m'emmener tous les jours. Et tous les soirs quand j'aurai fini, et quelle que soit l'heure à laquelle j'aurai fini, il va me ramener. Ce n'est pas la classe, ça ?

Aujourd'hui, je vais tourner quatre scènes.

Hier soir, Bouche de cheval m'a dit de ne pas me préoccuper de savoir comment fonctionnent leurs embrouilles de tableaux. Chaque soir, elle me dira ce que je dois apprendre pour le lendemain. Au moins, maintenant, je peux être tranquille à ce niveau.

Bouche de cheval et moi, on est assises sur un canapé marron. Il y a un étranger avec nous. Il a les cheveux blonds, des lunettes, et c'est un géant lui aussi. Il lit des feuilles qu'il a sorties d'un dossier. Bouche de cheval m'a appris ce qu'il faisait dans le film mais je ne me souviens pas de ce que c'était. Chef de quelque chose. Et à vrai dire, j'avais un peu la tête ailleurs. J'étais occupée à regarder le décor.

On est dans une salle, et quelle salle ! Un terrain de foot. Le plafond monte jusqu'au ciel et les escaliers qui mènent à l'étage – couverts d'une moquette rouge avec des bordures dorées sur les côtés – font au moins deux mètres de large. Les sofas sont aussi grands que des barques. Et si tu voyais les êtres humains là-dedans. Des fourmis.

Où qu'on aille, les chevaux nous suivent. Il y a une statue grande comme ça en plein milieu de l'entrée. En fer. C'est un homme qui est assis sur un cheval. Il porte un selham* et un turban et il tient un fusil. Il va à une fantasia. Sûrement celle d'un grand moussem*. Bouche de cheval n'y fait pas attention. Elle ne fait attention à rien d'ailleurs.

Elle est occupée avec ses dossiers. Et à manger

ses cheveux. Vu sa gueule, je crois qu'elle n'a pas beaucoup dormi. Elle a l'air un peu agitée, la pauvre. Moi aussi à vrai dire.

Mais ce n'est pas la trouille qui me fait ça. C'est le manque de sommeil. J'ai un peu la trouille, c'est sûr, mais c'est surtout qu'hier soir, je me suis un peu oubliée.

Tu sais, ils m'ont mise dans une chambre comme tu n'en as jamais vu de ta vie.

La manière dont elle s'ouvre, déjà, te donne un aperçu de ce qui t'attend. Elle s'ouvre avec une carte, comme celles avec lesquelles tu recharges le téléphone. Quand le gars qui portait mes bagages l'a glissée dans la fente, j'ai regardé comment il a fait, discrètement. J'ai enregistré le mouvement dans ma tête et dès qu'il est parti, j'ai rouvert la porte et je me suis entraînée dessus jusqu'à ce que je maîtrise la technique.

Ensuite, je me suis mise à l'aise.

La chambre était vaste avec une fenêtre qui te montre la ville comme dans un écran de cinéma. Et un lit grand comme les prés. Dedans, tu pourrais nous caser Samira, ma fille et moi – et il te resterait encore de la place pour en ajouter d'autres si tu veux.

Mais de tout ça, il y a deux choses qui se passent de commentaires.

La première, c'est le frigidaire. Noir, petit. Tu ne donnerais pas deux rials pour en avoir un pareil. Mais quand tu l'ouvres, tu changes d'avis sur place. Coca, Fanta, jus d'orange et des bouteilles en tout genre. Voilà de la bière, voilà du whisky, voilà de la vodka, voilà du vin. Tu imagines quelque chose – ce que tu veux –, tu le trouves.

La deuxième chose qui m'a plu, et là je me suis dit que ces gens du cinéma, vraiment, ils savent vivre, c'est la salle de bains. Une baignoire, une douche, des serviettes, des savons, des shampoings, du lait pour le corps. La vérité, si tu ne te laisses pas tenter avec tout ça, il n'y a qu'une conclusion possible : la crasse, c'est ton truc.

Moi, je n'y ai pas réfléchi à deux fois.

Je suis allée dans la chambre et je me suis mise comme Dieu m'a créée. Ensuite, je me suis approvisionnée dans leur frigo, je suis retournée dans la salle de bains et que la fête commence !

Une gorgée, une petite plongée. Une autre gorgée. Une autre plongée. Et ainsi de suite.

Ça m'a rappelé ce gars que j'avais fait monter un jour et dont j'avais pris les histoires pour des fables. Il s'appelait Fettah, je m'en souviens très bien. Il travaillait comme chauffeur pour un Italien. Un jour l'Italien l'a emmené dans un hôtel classe comme celui-là. À Jdida. Il avait pris une chambre pour lui et une chambre pour le chauffeur. Quand il a vu le prix de la chambre sur la porte, vingt-six mille rials, la première chose qu'a faite Fettah, c'est qu'il a failli s'étrangler. Et la deuxième, c'est qu'il a passé la moitié de la nuit réveillé pour en profiter.

Ben, c'est exactement ce que j'ai fait hier.

Après ça, comment tu veux que je sois fraîche ce matin ?

*

Ça y est. On est déjà arrivés à l'endroit où on tourne. C'est un immeuble ancien, du temps des Français, à côté du marché central. Il est assez haut, comme ceux du quartier. Le soleil commence à taper. Il va faire chaud aujourd'hui.

— On y va ? me dit Bouche de cheval en descendant de la voiture et en se tournant vers moi.

— Une minute, faut que j'envoie de la nicotine à ma poitrine, je réponds en descendant et en allumant une clope.

Aujourd'hui, on a des scènes dans l'appartement du mec, le Brahim de Hasna. Au fait, je ne te l'ai pas dit mais je l'ai déjà rencontré. Tu sais qui c'est ? Je ne sais pas comment j'ai fait pour ne pas t'en parler avant. Le jour où je l'ai su, je ne savais plus quoi faire tellement j'ai été surprise. C'est Kaïs Joundy ! Tu te rends compte ? Celui qui a joué dans *Deux hommes à tuer.* C'est un de ces beaux gosses ! Incroyable !

Bon, à vrai dire, je trouve qu'ils l'ont pris un peu trop déplumé pour le rôle. Ils auraient dû prendre quelqu'un de plus rempli. Comme le pédé de Chaïba par exemple. Même si c'est un con, c'est une sacrée masse. Ou alors quelqu'un qui ressemble à Hamid, mon mari. Avec des cheveux fournis et des yeux noirs, profonds. Pour que tu te noies bien dedans quand tu le vois.

Quand j'ai dit ça à Bouche de cheval, elle m'a répondu qu'il jouait bien et qu'ils allaient bien l'arranger et que quand je le verrais, je lui en donnerais des nouvelles.

Je l'ai vu l'autre jour quand on était chez Bouche de cheval, dans un studio qui appartient à sa tante dans l'immeuble à côté du garage. De sa terrasse, tu vois le marché, tu vois le parc, tu vois la place aux pigeons, tu vois tout ce qui se passe dans le quartier et tous les gens que tu connais. J'ai aperçu ce fils de pute de Bachir l'épicier, celui qui nous nique sur les prix de la bière, tu te souviens de lui ? Je lui ai envoyé un de ces mollards ! J'ai été tellement rapide que les deux autres n'ont rien capté. Bien fait pour sa gueule !

Avec Bouche de cheval et Kaïs, on a répété les textes plein de fois. Bouche de cheval dit ce qui se passe dans la scène, et toi tu fais ce qu'elle te dit. Par exemple, dans un truc qu'on va tourner aujourd'hui, le Brahim tape Hasna parce qu'elle a couché avec un autre mec. Alors elle, elle lui rend ses coups et ils se mettent à s'engueuler et à se taper dessus. Pour te guider dans ce qu'il faut faire, Bouche de cheval te dit des trucs comme : « Quand il te frappe et que tu t'énerves, pense à un moment dans ta vie où tu ressens la même chose. Où tu es tellement énervée que si tu ne mords pas ta langue jusqu'au sang en serrant tes mains dans le vide comme une démone, tu vas enfoncer tes doigts dans la personne en face de toi jusqu'à lui sortir les intestins ou les yeux. » Bouche de cheval n'a pas su le dire comme ça mais moi j'ai compris. Je sais que c'est comme ça qu'on est quand on est vraiment énervé.

Quand on a révisé la scène, le « Kaïs Brahim » et moi, je n'ai pensé à rien. Chaque fois que je voulais me concentrer, je voyais Bouche de cheval me regarder, je regardais Kaïs, je trouvais tout ça débile et ça me déconcentrait. Alors on était obligés de recommencer. Bouche de cheval nous a fait tellement répéter que ça m'a pris la tête. À la fin, j'ai tordu le poignet du morveux parce qu'il commençait à me faire chier à me frapper comme ça depuis tout à l'heure et je lui ai envoyé mon texte et la bouteille de bière à la figure, dans une seule lancée :

— Pédé ! Ce n'est pas comme s'il n'y avait plus d'hommes sur terre pour que j'endure ça !

Le Kaïs, il a bien mangé dans sa tronche. Bouche de cheval a rigolé. Et elle a dit que ça y est, j'étais prête. Après, on a tapé des bières tous les trois et finalement, la soirée a bien tourné.

*

J'ai fini ma cigarette. Bouche de cheval m'annonce qu'il faut y aller et qu'à partir de maintenant, c'est Jaafar – un gars qui travaille avec elle – qui va s'occuper de moi. Et qu'elle, elle va partir de l'autre côté pour s'assurer que tout est prêt sur le plateau. Elle vient de finir sa phrase et on est encore dehors qu'un mec en jean, mal rasé, avec des cheveux de mouton, arrive. Il est plutôt brun de peau. Même s'il fait chaud, il porte un blouson en cuir noir qui brille comme ses cheveux qu'il a tartinés au gel. Il s'aime.

— *Salam*, Jmiaa ? Tu viens avec moi ? il me dit dans un hochement de tête. Et il se retourne.

Son cul est serré dans son jean bleu. Il tient dans la main un gros talkie-walkie, comme ceux de la police. On entre dans l'immeuble, on prend l'ascenseur et on monte.

— On est arrivés. Je vais t'emmener aux costumes.

Dans l'appartement, il y a une tonne de gens. Tout le monde est occupé. Ceux qui nous voient – les autres sont trop occupés – saluent vaguement de la tête pour dire bonjour. Le play-boy qui me devance répond tout aussi vaguement. On arrive aux costumes. Il y a la couturière géante et la fille qui était avec elle, Lamia.

— Vous en aurez pour combien de temps ? il leur demande en regardant sa montre. Il est dix heures moins le quart.

La Marocaine et l'étrangère parlent entre elles et la Marocaine se tourne vers lui et lui répond :

— Disons vingt minutes. Onze heures cinq.

— OK, j'attends ici, il dit en montrant la porte. Il attrape son talkie-walkie qui grésille dans sa main pour parler dedans et il sort.

— Comment ça va ? me demande la blonde en se tournant vers moi.

Elle a parlé en français mais elle a appuyé sur chaque mot. Pour que je la comprenne.

— Ça va, *hamdoullah*, je réponds.

— On va t'habiller, ça va aller vite. Et ensuite, Jaafar va t'emmener au maquillage et à la coiffure.

Avant que je ne réalise quoi que ce soit, je suis debout dans la pièce, en soutien-gorge et en caleçon. Putain, quel rythme !

De derrière la porte, j'entends la voix du playboy :

— Ça y est ? Elle est prête ?

La Marocaine lance :

— C'est à peine le premier jour de tournage, Jaafar. Tu ne vas pas nous parasiter dès maintenant avec ton horaire.

Elles m'habillent et ouvrent la porte. Le Jaafar, sans parler, me montre que je dois le suivre.

Je me regarde dans le miroir à côté de la porte. Je ne ressens plus la chaleur comme tout à l'heure. La jellaba qu'ils m'ont mise est légère, rouge. Elles m'ont mis un foulard orange. Pal mal. Léger lui aussi. Elles l'ont noué autour de mon cou et elles ont choisi de belles sandales. Avec une large bande noire sur le devant et une semelle qui ressemble à du liège. Assez haute. Qui ne glisse pas. Il n'y a que le vernis de mes orteils qui soit pourri.

Elle me regarde et, un instant avant que je sorte, la Lamia me dit – en français elle aussi :

— Allez, bonne chance.

J'ai envie de chier.

*

Ils m'ont emmenée au maquillage, à la coiffure – ils sont tous les deux dans la même pièce – et là, je suis debout au milieu du tournage. Il y a une tonne de monde. Bouche de cheval m'a dit qu'on allait refaire la scène qu'on a jouée dans son studio, celle de la bière. Comment elle veut que je fasse quoi que ce soit dans ce bordel ? Avec toutes ces machines et ce bruit. Et ces gens qui parlent sans que tu puisses entendre quoi que ce soit de ce qu'ils disent. Bouche de cheval a disparu depuis que le Jaafar m'a emmenée chez elle après le maquillage et la coiffure pour qu'elle me voie. Elle a dit que c'était impeccable avant de filer. Impeccable mon cul. Si je n'étais pas bien élevée, j'aurais montré à la coiffeuse quoi faire avec son fer à friser au lieu d'esquinter la tête des gens. Elle est restée penchée sur ma tête une demi-heure, et c'est à peine si on voit la différence avec le moment où je suis entrée.

Heureusement qu'il y avait le maquillage pour rattraper ça. Tu ne peux même pas t'imaginer tout ce que la fille a utilisé comme produits. Elle est douée mais c'est une connasse. Quand elle a fini, comme il y avait des vernis posés sur la coiffeuse, je lui ai demandé si elle avait du dissolvant en lui montrant mes pieds et mes mains pour qu'elle voie mon vernis tout écaillé. Elle a regardé mes doigts pendant un long moment, elle m'a dit qu'elle allait demander et elle est sortie. Tu vas demander ? Qu'est-ce que tu vas demander ? Tu vas demander si tu vas me laisser me foutre la honte ou pas ? Et à qui ? Connasse !

Le problème, c'est que quand elle est revenue, elle m'a dit qu'on allait les laisser comme ça. Que ce serait mieux. Ensuite, qu'est-ce que ça me laissait comme option ? Lui arracher son flacon et sa tignasse de force ? Alors que je viens d'arriver et que je ne connais encore personne ici ? Pute des champs !

— Allez Jmiaa, on va répéter pour que ces gens prennent leurs mesures.

Bouche de cheval est apparue comme une diablesse. Elle est arrivée à mon niveau sans que je la voie. Les choses sérieuses commencent.

Allez, chiasse, lâche-moi la grappe !

Et toi, Jmiaa, montre-nous ce que tu sais faire !

*

C'était fatigant cette merde. Toi, quand tu vois les acteurs de cinéma, tu les imagines posés au bord de la piscine d'un hôtel, en train de boire un jus d'orange. Tu te dis que c'est cool. Tu ne penserais jamais qu'ils passent la journée à répéter la même chose sans fin. C'est de la folie.

Là, je suis assise dans le grand fauteuil dans ma chambre en train de taper une bière mais toute la journée, j'étais debout. On est passés d'un truc à l'autre presque sans s'arrêter. Je ne sais pas combien de scènes on a tournées.

On a tellement travaillé que je n'ai profité de rien. Ni du déjeuner, ni du frigidaire sur la terrasse. Alors qu'ils nous ont fait un déjeuner incroyable. Il y avait de tout. Un tagine de viande avec des petits pois et des artichauts, un tagine de poulet avec des pommes de terre, des salades de toutes les sortes, aubergines, poivrons, concombres, tomates, des fruits, des Danone. Et encore, à la fin, sur une table à part, il y avait des gâteaux. C'est vraiment dommage que je n'aie pas pu profiter.

À vrai dire, ils m'ont fait tourner la tête avec toutes leurs conneries aujourd'hui. On a commencé par des tests. Si tu veux savoir des tests de quoi et ce que les mecs qui étaient là mesuraient avec leurs machines, demande-leur. Parce que moi, je ne sais pas. Ce que je sais, c'est juste qu'ils nous ont dit de faire la scène pour de faux.

Au début, j'ai eu du mal. Avec le cirque qu'ils font au moment de tourner, tu ne peux pas te concentrer tranquille. À un moment, ils se mettent tous à gueuler comme s'ils faisaient les enchères, à la criée aux poissons.

Pour commencer, il y a un mec qui hurle quelque chose. Il est suivi par un type qui est assis derrière une toute petite table comme s'il était puni, qui dit un autre truc. Après, tu as un cinglé qui saute en te mettant une longue tige pleine de poils qui ressemble aux balais avec lesquels on nettoie le plafond à deux centimètres de ton visage.

Et ensuite, c'est au tour de la caméra suivie de Bouche de cheval qui dit « Action » pour que toi, tu commences.

Et au milieu de tout ça, il y a un parasite qui vient avec une ardoise noire dans les mains, qui se plante devant la caméra et qui recule, en criant lui aussi.

À cause d'eux, plein de fois, j'ai commencé à un moment où il ne fallait pas. Ça les a énervés. Mais je les emmerde, ils n'ont qu'à ne pas compliquer les choses. Dites « on y va » et puis c'est tout.

En plus de tout ça, Bouche de cheval n'a pas arrêté de commander : fais ci, fais ça, comme ci, pas comme ça. Le truc qui m'a le plus pris la tête, c'est ses « Coupez ». Parfois, tu n'as pas encore dit *bismillah** dans ta tête que tu entends Bouche de cheval dans son mégaphone qui crie pour que t'arrêtes.

Elle, ça ne la dérange pas, elle ne fout rien. Toute la journée, elle est planquée derrière sa boîte noire qui ressemble à la Kaaba* et elle fait la chef en regardant son écran. Tu ne vois que ses jambes qui dépassent par en bas. Et comme ses oreilles sont encerclées par des écouteurs énormes, elle parle fort. Si tu as fumé du shit ou si tu n'es pas sobre, tu pourrais la confondre avec Dieu, qui donne des ordres et qu'on ne voit jamais.

Et il y avait une nana avec elle, une de ces merdeuses !

La scripte, ils l'appellent. Elle, ils l'ont recrutée pour faire chier. C'est ça son travail. Elle tient un cahier, elle porte des lunettes et elle te surveille. Si tu dis une toute petite connerie ou un truc qui n'est pas tout à fait comme ça dans le dialogue, elle vient et elle te prend le cul, comme à l'école. Il faut voir ce qu'elle a fait au gars qui s'occupait du décor...

Mais je crois qu'il le mérite. C'est un de ces arnaqueurs ! Il leur a fait un décor pourri : plus ordinaire que ça, ça n'existe pas. La scène se passe dans une chambre. Et lui, ce glandeur, il a fait le minimum. Il a posé un lit, un minuscule tapis couleur de merde et une table sur laquelle il leur a balancé un cendrier plein de mégots et des bières. C'est tout. Et pendant que nous, les acteurs, on faisait une pause entre deux scènes, lui, pour justifier son salaire, il se mettait à côté du lit et il commençait à arranger les plis. Ou à placer et à déplacer le cendrier. C'est du travail, ça ?

Bon, à part ça, ça se voit que ce sont des professionnels. Chacun sait ce qu'il a à faire. Personne ne perd de temps. Le gars de la caméra, il faut voir comment sa caméra lui va. Et celui qui tient le balai du son, c'est une de ces masses. Et il y en a un, un étranger, un blond lui aussi. Incroyable. D'entre eux, c'est lui qui m'a impressionnée. Il est tout petit, maigrichon, il ressemble à un chevreau. Et avec ses bras minuscules, il déplace de ces lumières ! Elles font deux fois son poids. Pour les porter, il les tient par une grosse tige, lourde. Il m'a tellement intriguée qu'à cause de lui, j'ai raté une scène.

Pendant que je disais à Kaïs Brahim d'aller se faire foutre, je l'ai repéré en train de bouger un truc et ça m'a déconcentrée. On ne voyait que le bas de ses pieds sous une lumière gigantesque. J'ai trouvé ça bizarre qu'une personne si frêle porte un truc aussi gros alors au lieu d'insulter Kaïs Brahim comme il fallait, je lui ai dit en regardant dans la direction du chevreau « répète ce que tu as dit ? ». C'est une phrase qui vient après dans le dialogue. Bien sûr, la connasse de Bouche de cheval n'a pas laissé passer ça. Et elle a dit qu'on allait faire une pause. Moi, ça m'a arrangée parce que j'en ai profité pour aller du côté de Maaizou*. C'est comme ça que j'ai appelé le chevreau. Je voulais voir la tige de près pour savoir si c'était du plastique ou du fer. Il m'a tendu la tige. C'était vraiment du fer.

À vrai dire, même si c'était un peu le bordel aujourd'hui, ils savent ce qu'ils font ces gens. Je n'avais pas compris ce matin de quoi le géant était le chef et j'ai même pensé que c'était lui le chef de Bouche de cheval mais ce n'est pas du tout ça. En fait, ici, ils disent chef comme nous on dit *maallem**. Ça veut dire que tu es professionnel dans ta fonction. Que c'est toi le plus doué et qui sait le plus de choses. Et pour te dire à quel point ils savent ce qu'ils font ici, ils sont presque tous *maallem* de quelque chose.

Aujourd'hui, si tu avais été avec moi tu aurais gardé la bouche ouverte d'étonnement. C'était quelque chose, quand même.

Samedi 30

Plus que dix jours de tournage et c'est fini. Il est quatre heures du matin et je n'arrive pas à émerger. Jamais de ma vie je ne me suis levée aussi tôt.

Samira a de la chance. Elle pourrait scier toute la Maâmora* tellement elle ronfle. Son bras – qui dépasse du lit – risque de renverser la machine à café qu'ils m'ont apportée quand ils ont vu que leur agenda et moi on était incompatibles. Tu verrais la chambre maintenant ! C'est comme si je vivais ici depuis toujours.

Le frigidaire est plein à craquer. Dedans, il y a du Danone, du pain, de la Siviana*, de la mortadelle, de la Vache qui rit, du jus d'ananas. Et des gâteaux de toutes les sortes et de toutes les couleurs. Pendant le tournage, je leur dis toujours de m'en mettre de côté pour que je les emmène avec moi l'après-midi.

Aujourd'hui n'est pas un jour comme les autres jours. On va tourner dans un endroit spécial. À côté du marché. De mon marché. Dans la rue qui continue vers Alpha 55*.

— Jmiaa ? Toc toc toc ! Jmiaa ?

— Oui ? je réponds en français en allant vers la porte et en parlant doucement pour ne pas réveiller Samira.

Maintenant, ils ne disent plus rien quand elle reste avec moi mais après notre première soirée ensemble ici, ils ont cherché à la virer par tous les moyens. Je les comprends un peu parce qu'avec Samira, les emmerdes ont commencé dès le début.

Le premier jour d'abord, les connards de l'hôtel ne l'ont pas laissée monter. Elle est entrée dans le hall et au lieu d'avancer et de faire quelque chose, cette conne est restée bouche bée devant le décor. C'est surtout le cheval qui l'a impressionnée, elle a dit. Pendant qu'elle gobait les mouches, une des montagnes qui gardent l'entrée est venue à elle et lui a demandé où elle allait.

C'est toujours comme ça. Où que tu ailles. Si les chiens qui sont à la porte ne te connaissent pas ou si tu ne les arroses pas, ils te font chier. C'est comme ça en boîte de nuit, c'est comme ça chez les flics, à l'école des enfants, partout.

Samira lui a dit qu'elle avait rendez-vous avec quelqu'un. Le gars lui a dit que ne rentraient ici que les clients. Samira a insisté. Il a répété ce qu'il avait déjà dit. Et ensuite, je ne sais pas exactement ce que Samira lui a répondu. Mais ça n'a pas plu au type, qui l'a attrapée par le bras. Au moment pile où elle allait lui taper la honte de sa vie en lâchant sa sirène, Bouche de cheval est passée par là. Il a eu de la chance, le mec. Si elle s'était lâchée contre lui, colosse ou pas, il serait maintenant encore fourré dans le trou qui lui aurait servi de planque. La chambre a beaucoup plu à Samira ; on s'est posées, on a tapé quelques verres et elle est partie.

Le lendemain, elle est revenue. On a encore tapé quelques verres et après, comme on était bien, on s'est dit qu'on allait sortir. Le tournage n'allait commencer qu'à onze heures le lendemain. On a pris un taxi et on est parties sur la côte. On s'est dit qu'on allait se faire plaisir, prendre quelques verres et rentrer.

La seule chose dans laquelle je sois rentrée, c'est le pédé de Bouchaïb. On était à peine arrivées dans une de ces boîtes à côté de la mer que je l'ai vu. Il était à une table remplie de bouteilles. Saïd et Belaïd, les inséparables couilles qui le suivent comme son ombre, étaient posés à rigoler et autour d'eux, un essaim de filles, des putes à deux sous. J'ai tapé du coude dans le ventre de Samira en lui montrant la table du menton. J'ai voulu ressortir mais elle m'a tirée vers l'intérieur. Sans que j'aie eu le temps de réagir, je me suis retrouvée au bar.

On s'y est assises. Un poteau nous couvrait. Je me suis dit que dès que je trouverais un moment pour filer, j'en profiterais.

Puis, Belaïd s'est pointé. Il allait aux toilettes. Ensuite, ce qui devait arriver arriva. Ne sont pas passées cinq minutes après qu'il était retourné à sa place que l'autre ours de Bouchaïb s'est pointé avec son gros ventre. Il avait encore enflé, et avec sa moustache il ressemblait de plus en plus à un commissaire. Il a insisté jusqu'à ce qu'on aille se poser avec eux. Cette merdasse de Samira avait envie de boire à l'œil et de faire la fête. Et moi je l'ai suivie, comme une conne.

Quand on est arrivées à sa table, il a chassé les filles qui étaient assises avec eux comme on dépoussière un tapis. Des yeux, elles nous ont craché au visage. Bouchaïb a fait comme si tout était normal entre nous. Il m'a fait asseoir à côté de lui et il a passé son bras derrière mon dos en posant sa main sur le haut de ma cuisse. On a bu plus qu'on aurait dû. Le problème, c'est qu'avec ce tournage, ça faisait un moment que je n'avais pas bu comme ça. Et pour la deuxième fois ce jour-là, ce qui devait arriver arriva.

Bouchaïb a envoyé sa main farfouiller dans des endroits où je ne voulais pas qu'il aille. Ça m'a fait comme quand l'électricité te frappe. Dès qu'il s'est mis à malaxer sous ma jellaba, j'ai eu un coup de sang. Je n'ai pas supporté qu'il touche là-bas comme si c'était à lui. Et à partir de là, c'est devenu le bordel.

On est passés d'un posage ordinaire à un vacarme auquel tu n'aurais pas aimé assister. Du verre s'est brisé, des tables se sont renversées. Samira s'est déchaînée, Belaïd a séparé. Bouchaïb mordant sa lèvre et son poing qui descend sur mon visage. Mes ongles enfoncés dans sa joue. Des mains qui tirent. Des cheveux. Des cris, du bruit, du crachat et du sang. Et après, tout s'est mélangé. Ils ont déversé tout le monde sur le trottoir. Ensuite, la nuit est passée vite. Du trottoir à la fourgonnette, de la fourgonnette au poste, du poste au cachot. Du cachot à chez Samira, et le muezzin qui appelle à la prière de l'aube. Dans tout ce circuit, trace de Chaïba il n'y a. Chaïba a continué son chemin. Chaïba a avancé sans se retourner sur la crasse qu'il a laissée derrière lui. Chaïba m'a fait une offrande en m'amenant à sa table. Chaïba touche ce qu'il veut. Où il veut. Chaïba m'a avancé de l'argent quand j'étais malade. Toute cette viande, ces cuisses, cette générosité qui déborde de ma poitrine, tout ça lui appartient.

Mais quand ça a tourné au vinaigre, Chaïba est parti. Il a arrosé ceux qui portent l'uniforme et est retourné à Hajar ou je ne sais laquelle de ses souillons pour finir son jet dedans. Il les a arrosés et a titubé tranquillement vers sa voiture. Il leur a donné suffisamment pour qu'ils ne nous lâchent pas trop tard dans la nuit mais pas assez pour qu'ils ne nous cueillent pas du tout. Pédé de sa race !

S'il revoit encore une fois ma gueule, c'est que moi qui te parle, je ne m'appelle pas Jmiaa.

Finalement, la première chose dont je me souviens après le brouillard de l'aube, c'est Bouche de cheval et ses dents penchées sur moi dans la chambre de Samira. Putain, ça a été un sacré bordel là encore. Il était quatre heures de l'après-midi ou je ne sais quoi. Il n'était plus l'heure ni du tournage, ni de rien. Il était l'heure de se la fermer. D'écouter et de dire oui. Elle m'a fait un scandale. Ce n'est pas qu'elle ait crié ou quoi. Non. Elle parlait doucement mais tout son visage était énervé. Ses mains, ses bras, tout son corps était crispé comme si une autre personne allait sortir d'elle. Et une veine qui s'était toujours tenue tranquille au milieu de son front est sortie. Quand elle a fini, elle m'a dit qu'on se retrouve à l'hôtel et elle a pris la porte. Moi, je n'ai rien dit. Je n'étais pas là. Il y avait le bordel dans ma tête. Et ce qu'il y avait dedans était lourd. Ça faisait longtemps que je n'avais pas été dans cet état. Ça faisait longtemps que je ne m'étais pas retrouvée face à face avec l'écran noir de la télévision. Et le reflet de Hamid qui compte les billets pendant que mon ventre remonte le long de ma poitrine.

J'ai eu peur. Et je n'ai rien répondu à Bouche de cheval. La seule chose que j'ai pu faire, c'est me lever sur mes coudes pour jeter un coup d'œil sur cette tronche dans le miroir. Par chance, la seule noirceur qu'on voyait était celle du khôl qui était allé se promener jusqu'à ma bouche. Il faut voir le scandale que j'ai fait à Samira quand elle s'est réveillée. J'étais posée tranquille et elle, elle m'entraînait dans ses plans foireux. Alors que moi, je commençais à peine à faire ma place ici ? Et que j'avais juré que je n'aurais plus rien à faire avec ce pédé.

Heureusement qu'on avait laissé notre énergie au cachot sinon, je te jure qu'on en serait arrivées aux mains elle et moi.

Finalement, comme tout le reste, cette histoire est passée. Samira et moi on s'est calmées. Et Bouche de cheval a laissé couler. Mais ça a été difficile de rattraper cette sortie de merde.

Le lendemain, quand je suis retournée sur le plateau, personne ne me supportait. Ici, quand ils ne te supportent pas, ils ne se mettent pas à gueuler ou à t'insulter ou quoi que ce soit que feraient les gens normaux. Ici, ils ne font que te regarder de travers et ne pas te parler, c'est tout.

Ce jour-là, ils se sont tous tordu le cou à force de regarder dans l'autre direction quand je passais. Bouche de cheval a dit qu'à cause de moi, tout le tournage s'était arrêté, et qu'ils avaient perdu de l'argent. Ce sont de ces frimeurs, tu ne peux pas imaginer.

Moi, je vais te dire une chose – parce que je l'ai vécue maintenant : à force d'organisation on devient con.

— Toc toc toc. Jmiaa ? Tu es réveillée ? redit la voix en arabe de derrière la porte.

Même si je ne le vois pas, je sais qu'il a la bouche scotchée au bois comme si elle était collée à mes tétons. C'est Maaizou, le chevreau. Il s'est entiché de moi, le pauvre homme. Tous les matins, il vient me réveiller. Je crois qu'il a peur que je ne me pointe pas ou que j'aie encore disparu dans la nuit. Ou alors peut-être que quelqu'un lui a demandé de faire ça, je ne sais pas. Il a commencé à apprendre l'arabe. Il sait dire tous les mots dont il a besoin : « est-ce que tu es réveillée ? » ; « est-ce que tu as faim ? » ; « est-ce que tu veux quelque chose ? ». Et il parle bien pour un étranger.

Il a de la chance ce matin. Même si on doit se lever avant l'aube et même si c'est difficile, je suis bien debout.

— Ça y est, tu peux partir, je suis réveillée.

À côté de moi, il est comme un gamin. Je le dépasse en hauteur, en largeur, en profondeur, en tout. Sa tête est à peine plus grande qu'un seul de mes seins. Lui, il s'en fout. Dès qu'il a un moment de libre, il vient à moi.

Il veut que je lui apprenne l'arabe, il a dit. Mes couilles que c'est ce qu'il veut ! Mais ce n'est pas mon problème. Moi je ne fais rien avec lui. Ils m'ont dit que je n'avais pas le droit de travailler pendant le tournage. Alors je ne travaille pas.

Ça m'arrange. Maaizou me gâte et je ne lâche rien en retour. Rien, même pas une sucette. Et j'ai fait entrer Samira avec moi dans l'affaire. Chaque jour, il nous apporte quelque chose. J'en ai marre des parfums tellement j'en ai. Je crois qu'il est un peu débile.

— Ça y est. On se voit tout à l'heure sur le tournage, je lui dis.

Je lui parle lentement. Et je fais des gestes pour qu'il comprenne bien. Il s'en va en me disant au revoir en arabe. Malgré tout, il a l'esprit vif lui aussi. Il apprend vite.

*

Il faut voir la tête des gens autour de moi. Ils ont tous la bouche ouverte. Tous. En plus, comme on est samedi, tout le monde est là. Il doit être deux heures de l'après-midi maintenant. La journée est chaude. Et longue. On tourne depuis six heures du matin et il nous reste encore deux heures environ.

Je suis debout à côté d'un magasin auquel ils ont fait un décor de bijouterie. C'est le magasin de la connasse qui vend des vêtements d'habitude. À côté de la pâtisserie. On est debout Kaïs Brahim et moi et on attend que l'équipe nous dise de commencer. J'ai du mal à me concentrer.

Même si depuis un moment, c'en est fini du bazar des premiers jours et des textes dont je ne me souviens pas. Mais aujourd'hui, c'est trop pour moi.

Première des choses, ils ont bloqué la rue. Personne ne rentre, personne ne sort. Ils ont mis des barrières et bloqué les voitures pour qu'on puisse tourner tranquille. Moi, je n'ai pas l'habitude de voir cette rue comme ça. D'habitude, elle est comme un souk, et là, même s'ils ont conservé un peu de bordel, je suis perturbée par tout cet ordre qu'ils ont mis. Et ces flics, il y en a trop. Où que tu tournes la tête, tu en as. Il y a deux jours, il y a un taré qui s'est fait sauter dans un café à Marrakech. Le gars, il s'est levé un matin, il a mis une bombe dans son sac, il est entré dans un café et boum ! C'est ce que lui a dicté son cerveau dérangé. Va comprendre. C'était dans cet endroit très connu qu'ils appellent Jemaa el-Fna*. Moi, je n'y ai jamais été mais ils le montrent souvent à la télévision. Il y a des charmeurs de serpents, des voyants, des vendeurs de jus d'orange, d'escargots, plein de choses. Je ne sais pas combien de touristes y sont passés. Depuis ce jour, les Hollandais n'ont pas changé de sujet. Maaizou a dit qu'ils ont peur de se faire exploser eux aussi.

Du coup, à midi, ils ont complètement encerclé le restaurant qu'ils ont loué pour le déjeuner. Personne ne rentrait, personne ne sortait sans se faire contrôler. Mais il ne s'est rien passé. Moi, même si je commence à m'y habituer, je n'aime pas que les flics soient dans les parages.

Aujourd'hui – bien fait pour leur gueule – ils vont souffrir. Parce que comparés à mes supporters, les apaches du Raja* tètent encore le sein de leur mère. Tous ceux que je connais et même ceux que je ne connais pas sont ici.

Ils sont tous derrière la barrière. Il y a Bachir l'épicier, Fouzia, Rabia, Mina la vieille, la pute de Hajar et sa copine, Najia la coiffeuse. Il y a Okraïcha la voisine du deuxième, qui s'est arrêtée pour voir ce qui se passe. Il y a le bigleux de Robio qui aujourd'hui vend des chaussettes. Ils se demandaient tous où j'avais disparu et maintenant, je suis là, sous leurs yeux, sur le point de tourner. Même Hamid est debout en train de regarder.

On s'est réconciliés ce matin. Quand je suis arrivée à l'aube, il venait de finir sa garde de nuit au garage. Il m'a fait signe de loin. Je venais de finir l'habillage. Je l'ai laissé entrer pour venir me dire bonjour. Il m'a dit de lui pardonner de ne pas être venu me voir quand j'ai eu l'accident. Il a dit que notre amitié était de longue date et qu'il ne fallait pas que quoi que ce soit la salisse. Alors moi, je lui ai dit d'accord et que ce n'était pas un problème et que Dieu saurait tout pardonner. Entre nous, tu veux que je te dise ? je lui ai fait plaisir et c'est tout. Parce que je n'ai plus vraiment de temps à perdre à me prendre la tête avec des nazes comme lui maintenant.

Houcine aussi est debout, du côté du marché. Planqué sous sa casquette. Il doit avoir mal à la tête à force de se demander ce que je fous ici. D'abord l'accident, puis ma disparition depuis que j'habite à l'hôtel et maintenant ce film. Je l'appellerai quand j'aurai fini le tournage pour lui expliquer. Mais honnêtement, qu'il aille se faire foutre. L'essentiel, c'est que je lui donne son argent, non ?

En fait, il y a tellement de monde que je n'arrive pas à les voir tous. Ils sont serrés contre les barrières, comme aux informations quand le roi passe. Et le moqaddem* assis là-bas, avec nous sur le plateau. Je n'avais jamais vu ses dents avant aujourd'hui. Il a l'habitude de te recevoir avec une grimace qui lui tord son visage de malheur. Là, quand il m'a vue et qu'il a compris que j'étais dans le film, il fallait voir comment il est devenu. Comme si tu l'avais posé à la porte du paradis et que moi, j'en avais les clés. Quand il est venu à moi, je l'ai bien reçu. Je l'ai assis à une table, une de celles qu'ils ont mises sur le trottoir, à droite du plateau pour que les acteurs et les techniciens s'assoient. J'ai dit à la bonne de lui apporter un café et je lui ai donné une cigarette. Quand j'ai sorti le paquet de Marlboro, il est resté bouche bée. Il pensait que toute ma vie, j'allais m'envoyer cette saleté de Marvel dans les poumons ?

Samira est assise à la table qui est à côté de lui. J'ai demandé à ce qu'aujourd'hui, elle vienne avec nous, les acteurs et l'équipe. Bouche de cheval n'a pas fait de complications. Elle porte une jellaba que je ne lui ai jamais vue. Je ne sais pas d'où elle l'a sortie, la garce. Elle est jaune. D'un jaune comme celui qu'on trouve dans l'œuf. De la couleur de ses cheveux en fait. Et avec une de ces fentes à l'avant ! D'une main, elle tient un Fanta et de l'autre elle tire une bouffée à la santé de tous ceux qui regardent. C'est un sacré spectacle. Le moqaddem ne sait plus s'il doit regarder les cuisses de Samira ou ce qui l'entoure pour faire son rapport.

— On y va !

Jaafar nous demande de prendre nos places.

On va tourner la scène où on entre dans la bijouterie pour repérer les lieux et préparer notre coup. Kaïs est canon, et moi ils m'ont mis une de ces tenues ! Pour que le bijoutier ne me reconnaisse pas, ils ont changé ma tenue, ma coiffure, mon maquillage, tout. Ils m'ont mis une perruque brune, courte, coupe carrée. Et un ensemble entre le vert et le marron, composé d'un pantalon et d'une veste assortie. Ils m'ont mis une chemise blanche et je porte un cartable à la main.

Je fais comme si j'étais enseignante. Et que Kaïs était mon fiancé et qu'on entrait dans la boutique pour choisir une bague pour moi. Les autres qui nous regardent n'arrivent pas à croire que c'est moi. Je leur en mets plein la vue.

— Action !

Bouche de cheval a parlé. À mon tour.

— Tu entres le premier et je te suis ? je dis à Kaïs avant qu'on atteigne la porte de la bijouterie.

— Écoute, on a déjà parlé de ça. Je passe en premier et j'ouvre la porte pour que tu entres, répond Kaïs en me devançant pour entrer dans la bijouterie.

— …

Je dois dire quelque chose. Je ne sais pas quoi. J'ai oublié. Kaïs se tourne vers moi. Il me regarde. Il attend que je dise ce que je dois dire. Dans son dos, le cou et la tête de Fouzia vont en arrière tellement elle rit de me voir dans ce décor. Je ne sais plus ce que je dois dire. Putain, je ne sais plus ce que je dois dire.

— Coupez !

Bouche de cheval ordonne à la caméra de s'arrêter.

— On recommence.

Et elle se tourne vers moi :

— Jmiaa, concentre-toi, s'il te plaît.

Je me souviens. Je devais dire : « Non mais ce n'était pas un bon plan. » Je me remets à ma place de départ. « Action ! »

— Tu entres le premier et je te suis ?

— Écoute, on a déjà parlé de ça. Je passe en premier et j'ouvre la porte pour que tu entres.

Cette conne de Fouzia est encore en train de rire. Elle est toujours à la même place que tout à l'heure. Même Bachir rit maintenant.

— Non, pas comme ça. On va par là, je réponds en regardant Kaïs.

Kaïs me regarde sans rien dire. Je ne sais plus exactement ce que je viens de dire mais je crois que ce n'est pas bon.

— Coupez !

Bouche de cheval encore. Je regarde de son côté. Elle sort la tête de derrière sa boîte noire. Son regard m'intime l'ordre de me concentrer et sa bouche dit calmement :

— Reprenez vos places. On recommence.

Kaïs me tourne le dos pour retourner à sa place. Il fait chaud dans cette tenue. Et cette veste me serre. Surtout là, à la taille. Pff, ça colle. Et ces cheveux aussi commencent à m'énerver. Ça chauffe. Et moi, je me connais. Quand ça colle de partout, je m'énerve. Et avec tous ces gens qui me regardent, il ne faut pas que je me plante.

— Action ! dit Bouche de cheval.

On tourne.

— Tu entres le premier et je te suis ? je dis.

— Écoute, on a déjà parlé de ça. Je passe en premier et j'ouvre la porte pour que tu entres.

— Action !

Qu'est-ce que c'est que cette merde ?

— Action ! Action ! Allô ? Oui madame Rhimou ?

De derrière la barrière, je ne sais pas d'où vient ce putain de bruit. Quand je regarde, les uns rigolent, les autres cherchent comme moi des yeux en tournant la tête d'où vient le son.

— Action !

Ça vient de la gauche. Derrière Bachir, la conne de Mbarka, la vieille, crie comme elle fait quand les bin-ou-bin passent et qu'elle leur montre sa culotte. Elle marche en se dandinant vers le groupe du milieu, celui où il y a tout le monde. Elle a les bras posés de chaque côté de ses hanches et elle hurle en marchant.

— Action !

Les autres ne savent plus quoi regarder. Est-ce qu'ils doivent regarder de mon côté, là où il y a le vrai film, ou du côté de l'autre film que réalise la folle dans son coin. Elle marche comme une oie en allant vers eux. Elle a replié sa jellaba pour la raccourcir et la ramener au genou, en tenant le pli à la taille. Et ce rouge à lèvres avec lequel elle s'est tartiné les lèvres en débordant.

Les autres rigolent en regardant de son côté et du côté de Bouche de cheval pour voir ce qu'elle va faire. Ils ont compris que c'est elle la chef qui dit ce qu'on fait ou ce qu'on ne fait pas. Bouche de cheval est larguée.

Elle est tarée, Mbarka. Je regarde Samira et j'ai à peine le temps de rigoler qu'un des flics attrape la vieille par le collet et qu'il la tire en arrière. Sous le coup de la pression, elle tombe en arrière, direct sur son cul. Un autre flic arrive vers eux pour aider son copain.

Mbarka n'a pas encore compris ce qui se passe et avec ce rouge aux lèvres, on ne voit de son visage que sa bouche qui dit « O ». Samira et moi sommes par terre à force de rire. Tout le quartier est par terre. Les flics l'emmènent pour lui donner quelques baffes au coin de la rue pendant qu'elle donne des coups de pied dans le vide.

— Eh oh, mais non, mais non, qu'est-ce que vous faites ? Lâchez-la !

Bouche de cheval est descendue de son siège, elle court vers le flic. Putain, qu'est-ce qu'elle a celle-là encore ?

— Lâchez-la ! Non ! Non !

Bouche de cheval est arrivée comme l'éclair à la barrière. Elle essaie de l'enjamber. Fouzia recule et la regarde pour voir si elle arrive à passer de l'autre côté ou pas. Un des flics se met derrière Bouche de cheval.

— Non madame, laisse, on s'en occupe, il lui dit en français.

Elle, elle continue à sauter comme une cinglée pour franchir la barrière. Le flic ne sait plus quoi faire.

— Non, laisse madame, laisse.

Il lui parle poliment, le fils de pute. Lui qui n'a pas l'habitude de voir des gens se jeter sur des barrières sans dégainer la matraque n'ose même pas lui attraper le bras, la lavette. Sa main va et vient vers le coude de Bouche de cheval, sans la toucher.

— Retourne à ta place madame, on va s'occuper d'elle, il dit en la regardant les yeux pleins d'amour.

— Ça va, oui ? Comment ça, vous allez vous occuper d'elle ! Regarde comme ils la brutalisent !

Bouche de cheval pointe son doigt sec vers la folle qui est toujours en train de se faire tirer vers l'arrière par les deux flics en tapant en l'air et en leur gueulant de la lâcher.

Un gars qui s'appelle Khalid et qui travaille avec nous sur le tournage s'en mêle. Khalid attrape Bouche de cheval par le coude. Je vais m'asseoir à côté de Samira, je bois une gorgée de son Fanta et j'allume une clope. On ne tourne pas, autant se mettre à l'aise et profiter du spectacle. Le moqaddem s'est levé. Maintenant, tout le monde entoure Bouche de cheval.

Les Hollandais sont entrés avec elle dans l'équipe des droits de l'homme. Les Marocains et les flics essaient de leur expliquer qu'il faut reprendre le tournage. Qu'il ne va rien arriver à la vieille. Même Fouzia et Rabia s'en mêlent.

— Non madame, il faut aller là-bas, dit Fouzia très sérieusement à Bouche de cheval en français.

Toutes les filles éclatent de rire. Samira et moi aussi. Elle, ça l'encourage.

— Oui madame, il faut aller là-bas. Les gens ils t'attendent, elle ajoute, toujours en français.

Khalid dit à Bouche de cheval et à sa bande de se mettre sur le côté, qu'il va régler ça. Et il va parler aux flics. Il retourne vers Bouche de cheval pour lui dire que tout va bien. Elle lui dit qu'elle ne tournera pas tant que la femme âgée – c'est comme ça qu'elle appelle la folle – ne sera pas revenue de l'endroit où l'ont traînée les flics.

Khalid a envie de la taper, ça se voit.

Honnêtement, à sa place, j'aurais la même envie. Elle est vraiment chiante parfois, cette Bouche de cheval. Mais Khalid ne dit rien et il repart pour régler le problème. Il doit y avoir des billets bleus* dans l'histoire qu'il raconte aux policiers parce que tout de suite après, ils relâchent la folle.

Mbarka revient vers nous en ajustant sa jellaba et en se tournant vers l'arrière pour s'assurer que les flics ne la suivent pas. Elle a compris que c'est grâce à ces gens du cinéma qu'ils l'ont lâchée alors elle regarde les flics de haut. Bouche de cheval va vers elle, je ne sais pas ce qu'elle lui dit mais le Khalid ouvre les barrières à la folle pour la laisser entrer elle aussi. Putain, n'importe quoi !

Et voilà, ils lui donnent une chaise maintenant. Et ils lui apportent un Fanta à elle aussi. N'importe quoi ! Et regarde-la ! Maintenant, elle fait la victime devant eux. Elle montre ses cicatrices aux jambes à Bouche de cheval. Et ses cicatrices aux coudes. Et le bouton de fièvre sous son rouge à lèvres qu'elle essuie sur la manche de sa jellaba. Cinglée ! Et cinglés vous aussi qui faites attention à elle et à son cirque ! C'est à vos poches que vous devriez faire attention. Elle peut vous les nettoyer avant que vous ayez eu le temps de dire « aïe ».

Mais je vais me calmer parce que ce n'est pas mon problème. Et puis cette folle, laisse-la faire son cinéma tant qu'elle le peut encore. Parce que les flics là-bas, crois-en mon expérience, ils vont attendre tranquillement que les Hollandais ramassent leur bazar pour lui faire régurgiter ce Fanta qu'elle a bu.

— Jmiaa, prépare-toi, on va reprendre.

C'est Jaafar. Et ce n'est pas trop tôt ! J'arrange mon pantalon et mon chemisier et je souffle fort pour bien leur montrer à tous qu'ils m'ont pris la tête avec leurs conneries. Gamins ! Tous autant qu'ils sont.

MAI

Jeudi 5

Hier, pour la première fois depuis qu'on a commencé à tourner, je suis allée passer mon jour de repos dans le quartier. Il fallait voir comment ils m'ont reçue.

Je suis d'abord passée à la maison pour jeter un œil sur ma chambre et voir si tout était à sa place. J'y suis restée un petit quart d'heure et je suis descendue. J'avais mis une nouvelle jellaba. Verte, avec des bordures jaunes. Et je portais des sandales neuves aussi et j'avais lâché mes cheveux.

Bref, je m'étais bien arrangée. Je n'ai pas eu le temps de descendre les escaliers de chez moi que j'ai commencé à me faire arrêter par les gens qui voulaient me parler. La première que j'ai croisée, c'est Okraïcha. Figure-toi qu'elle m'a invitée à prendre un thé chez elle. C'est la première fois que je rentrais dans sa maison. Dès qu'on s'est assises Samira et moi, elle nous a apporté des msemens, du miel, de l'huile d'olive, des olives, et elle a fait un thé sucré à souhait.

Il y avait sa fille et même sa mère, qui est avec elle en ce moment pour régler des affaires au tribunal.

Je lui ai montré qu'il n'y a pas qu'elle qui soit de bonne famille. Samira a été à la hauteur elle aussi. Quand j'ai voulu partir parce que l'heure tournait et que je voulais voir les autres, je lui ai fait un petit signe de tête pour qu'elle sonne le départ. Samira a dit à Okraïcha qu'on la remerciait de nous avoir reçues et qu'on devait partir maintenant parce qu'on avait encore beaucoup de choses à faire. Que j'avais des gens à voir et qu'ils m'attendaient après à l'hôtel pour préparer le tournage du lendemain. J'ai acquiescé en rajoutant une couche d'excuses. Okraïcha a dit qu'elle comprenait et qu'on était ici chez nous, que c'était un grand jour pour elle de nous avoir reçues. Elles nous ont accompagnées jusqu'au couloir, elle et sa fille. Elle est gentille, finalement, cette dame. C'est juste qu'on ne la connaissait pas.

Ensuite, on est descendues dans la rue et là, c'était de la folie. Tout le monde est venu me saluer, tout le monde voulait prendre un thé avec moi. Tout le monde voulait savoir comment ça se passe de l'autre côté.

J'avais prévu qu'ils allaient m'assaillir. J'avais emmené un billet de deux cents dirhams pour payer la tournée. On est allées au café avec les filles. Je les ai emmenées dans celui de Abdelali.

On était six. Samira et moi, Rabia, Fouzia et deux autres que tu ne connais pas. Najiba et Kebira. On s'est assises à l'intérieur, on a commandé deux grandes théières et tous les genres de gâteaux qu'il y avait. On a ri, on a bu, on a mangé.

Je leur ai raconté comment ça se passe avec les gens du film. Toute la préparation qu'il faut quand tu tournes. Les textes, le maquillage, les lumières, les costumes, le travail de la scripte. Je leur ai appris ce qu'elles n'auraient jamais appris de leur vie. Et je leur ai raconté aussi ce qu'ils disent sur moi là-bas. Comme le jour où Maaizou m'a dit qu'il n'avait jamais vu quelqu'un qui assimile aussi vite que moi.

Elles, elles étaient bouche bée pendant que je parlais. Abdelali et son serveur aussi. Ils faisaient semblant de mettre de l'ordre sur les tables à côté pour écouter ce qu'on disait. Alors moi, pour ne pas les torturer, j'ai haussé le ton pour qu'ils m'entendent sans faire d'efforts.

Sur mon téléphone, j'ai montré aux filles mes photos à l'hôtel, à côté du cheval, de la piscine, à la table du restaurant. Avec les Hollandais. Avec Bouche de cheval. Avec Hasna et Wafaa en train de me maquiller et de me coiffer. Avec la responsable des costumes, la géante blonde. Avec Nasser, le chauffeur, à côté de la voiture. Je leur ai montré toutes les photos que j'ai prises. Dans ma chambre aussi. Partout.

On a dû rester au café deux bonnes heures. Quand on a voulu payer, Abdelali a juré qu'il ne m'apporterait pas la note. J'ai insisté tout ce qu'on peut insister pour payer. Mais il a juré qu'il ne prendrait pas un rial. Avant de partir, je lui ai dit que je dirais aux gens du film – que je connais tous bien maintenant – de revenir dans son café pour les repas. Et on est parties.

J'ai continué à tourner dans le quartier et à parler un peu avec les filles. On est allées du côté du marché, de la pâtisserie, de l'avenue, du Pommercy. J'ai donné un peu de temps à tout le monde. À Hamid aussi.

Mais en passant devant Hajar, qui était assise sur les marches – comme une merde en train de sécher –, je ne les ai pas calculées, elle et sa copine. Qu'elle aille raconter à son Bouchaïb comment je suis devenue pour qu'il se ronge les côtes d'être parti avec elle et d'avoir osé lever la main sur moi. Tu sais, je pardonnerai à tout le monde, sauf à lui. À Hamid, mon mari qui est parti et qui m'a laissée. À Mouy qui a gardé ma fille et qui m'a tourné le dos comme si elle ne m'avait jamais mise au monde. À Houcine qui pendant toutes ces années a pris l'argent que j'ai gagné à la force de mes épaules. À chacun, je pardonnerai. Mais lui, je ne lui pardonnerai jamais.

Vendredi 20

Aujourd'hui, on est vendredi. Je suis dans ma chambre, en ville. Et on a fini le tournage.

Ils m'ont donné mes trois millions et demi, tous les costumes qu'ils avaient faits pour moi, du maquillage, des sacs et des foulards. Ils ont bien pris soin de moi.

Avant de partir, ils ont fait une grande fête à l'hôtel. Et on a passé notre dernière soirée ensemble. C'était il y a une semaine à peine mais c'est comme si ça n'avait jamais existé tellement ça semble loin.

À la fin de la soirée, on a pris une photo de groupe.

Bouche de cheval m'en a apporté un tirage encadré hier. C'est un cadre noir, simple et fin, mais la photo est magnifique et je l'ai accrochée sur le mur en face de mon matelas.

Il y a tout le monde dessus. On est tous debout derrière la piscine, sur le toit. Tu vois l'eau qui brille, les lumières, les bougies… tout.

Moi, je suis debout au milieu, à côté de Bouche de cheval. Je porte une robe rouge et longue que j'ai achetée l'autre jour au Maârif. Kaïs est debout lui aussi, de l'autre côté de Bouche de cheval. Et tous les autres nous entourent. Tout le monde rigole. Je viens de finir un youyou grandiose. Il est encore imprimé sur mon visage.

Aujourd'hui, Bouche de cheval a pris l'avion. Les Hollandais sont partis, les Marocains se sont éparpillés. Tout le monde s'est envolé.

Il n'y a que moi, posée ici.

Et je ne sais pas ce que je vais faire de tout ça.

2013

AVRIL

Mardi 23

Tu ne pourras jamais deviner où je suis. Jamais. Je suis dans l'avion.

Dans un avion qui m'emmène en Amérique. Oui, en Amérique. Les États-Unis d'Amérique comme ils disent.

Et aujourd'hui, en une seule journée, c'est le deuxième avion dans lequel je monte. Le premier m'a emmenée de l'aéroport Mohammed-V à la France, où on a changé d'avion. Et maintenant, je suis dans celui-là.

Je suis assise à côté de la fenêtre. Elle est toute petite, ronde. Dehors, il pleut à verse. Quand on a décollé de Casablanca, le soleil tapait à mort. Dieu seul sait quel temps il fera en Amérique.

Saïda, la nièce de Fatema, notre voisine à Berrechid, qui vit là-bas, m'a dit qu'il y fait froid. Parfois, il neige tellement que ses enfants sont obligés de rater l'école pendant une semaine.

Du coup, j'ai pris un grand châle en laine, des chaussettes bien épaisses et la jellaba d'hiver verte de Mouy, celle qu'elle s'est fait faire l'année dernière avant d'aller chez sa sœur au bled.

Et en parlant de Mouy, il fallait la voir tout à l'heure à l'aéroport, la pauvre. Elle a pleuré tout ce qu'elle pouvait quand je lui ai dit au revoir. Ni ma fille, ni mes frères, ni leurs femmes, ni leurs enfants, ni même le policier qui était debout là-bas n'ont réussi à la faire taire.

Elle ne s'est arrêtée que quand j'ai dépassé l'endroit où il y a la douane et où ils ne laissent plus passer que ceux qui ont des passeports et des billets. Là, elle est restée debout, penaude, le regard lointain et creux. Mets-toi à sa place : ta fille unique qui va en Amérique ; avec Dieu sait ce qu'elle peut trouver là-bas… Je la comprends. Même moi, j'ai demandé pardon à tout le monde avant de partir. On ne sait jamais, qu'il se passe quelque chose en route et que je doive rendre des comptes là-haut.

À l'aéroport, la dame qui était à côté de moi quand j'ai passé le contrôle de police a eu de la peine pour moi quand elle a vu ma mère dans cet état. La pauvre dame, c'est une femme bien. Elle habite en France avec son mari et ses enfants. Elle est là-bas depuis trente ans. Ses enfants sont grands et là, elle était venue au Maroc parce que sa mère, Dieu ait son âme, était malade.

Je l'ai rencontrée à l'endroit où tu déposes tes valises pour qu'ils les montent dans l'avion. Comme je n'étais pas sûre de comment faire, je lui ai demandé et elle m'a dit de la suivre. C'est elle qui m'a tout montré. Et quand on est arrivés en France, elle m'a accompagnée jusqu'au couloir qui menait à l'endroit où j'ai pris cet avion dans lequel je suis. Je te jure que sans elle, jamais de ma vie je ne serais arrivée jusque-là. D'ailleurs, elle m'a laissé son numéro et elle m'a dit de passer la voir un jour si je vais en France.

Dieu seul sait comment va être cette Amérique ! Je vais dans une ville qu'ils appellent San Francisco. Bouche de cheval me l'a montrée sur la carte du monde. Elle est de l'autre côté de la planète. Tu traverses tout l'océan Atlantique et quand tu arrives au début de l'Amérique, il te reste encore le même chemin que celui que tu t'es tapé pour arriver à cette San Francisco. Ce n'est qu'à ce moment que tu arrives. Mais là, j'en suis encore loin.

On vient à peine de finir de manger. J'ai fait sa fête au plateau qu'ils nous ont donné pour le dîner. J'ai tout sifflé. Moi, à vrai dire, je profite. Et n'importe qui aurait fait pareil. Surtout quand tu connais le prix du billet. Je ne l'ai pas payé de ma poche mais une dame qui travaille dans une agence en ville m'a dit combien il fait. Un million huit cents, tu imagines ? Là, je vais regarder le film qu'on a choisi tout à l'heure avec Bouche de cheval avant de me taper un somme. J'ai choisi un film hindou qui a l'air d'être génialissime. Shahrukh Khan* joue dedans. Lui et l'autre bombe dont je ne me souviens plus du nom.

J'ai mon écran de télévision à moi toute seule, au dos du fauteuil de la personne qui est devant moi dans le rang. J'ai enlevé mes chaussures, j'ai mis les chaussettes qu'ils m'ont données et j'ai mis mon siège dans la position la plus allongée possible. Je me suis même couverte. Avec la couverture qu'ils te donnent au début, quand tu montes.

Tu sais, maintenant, je suis à l'aise et je me suis un peu habituée à tout ça mais ce matin à l'aéroport, je ne savais pas où donner de la tête. Même si Samira et moi, on avait bien préparé ce voyage. Et même si on avait dit que je ferais attention, il y a des moments où ma bouche me prenait par surprise et autorisait ma langue à pendouiller tellement tout ça est inimaginable.

Qui aurait dit que moi, Jmiaa, j'irais en Amérique parce que le film dans lequel j'ai tourné va participer à un festival ? Quand Bouche de cheval m'a contactée de Hollande il y a trois mois pour me dire que le film allait passer en Amérique, je ne l'ai pas crue. Et d'ailleurs, même maintenant alors que je suis dans l'avion, je n'y crois pas. C'est te dire.

Je me souviens de ce que je faisais au moment précis où elle m'a appelée. C'était un vendredi. Depuis la fin du tournage, j'avais repris le travail, ma vie à deux rials et les habitudes qui vont avec. Dépensé, l'argent du film. Derrière moi, les caméras. Finies, les largesses de Abdelali. Envolées les politesses de Okraïcha. Éteints les sourires du moqaddem. De tout ça, il ne restait rien. Il ne restait que moi, mes costumes et le cadre photo orphelin accroché au mur de ma chambre.

Si j'étais du genre de Halima, tu aurais pu me trouver moi aussi en train de pleurer sur mon sort, posée à regarder la photo, une rivière de morve sous le nez… Mais bon, chacun son style.

Moi, ce vendredi-là, j'étais posée devant une bière et il était sept heures tapantes.

— Allô ?

— Hey, Jmiaa, aujourd'hui est un grand jour. Prends tes affaires !

Bouche de cheval hurlait dans le téléphone. Le temps qu'elle m'explique ce qui se passe et que je le comprenne, elle avait déjà raccroché. Moi, j'étais bloquée.

Ce n'est que le lendemain que j'ai commencé à réaliser. J'ai d'abord rappelé Bouche de cheval pour m'assurer que mon esprit n'avait rien inventé. Avec tout ce que je tape, on ne sait jamais. Et après ce coup de fil, quand j'y ai finalement cru, je me suis bougée, et là, tout a bougé avec moi.

J'ai dégainé la totalité de l'argent que j'avais et j'ai arrosé tout le monde pour qu'ils me fassent un passeport. Et avant ça, j'ai refait ma carte nationale. Je n'ai fait qu'un jet de mon argent pour mettre toutes les chances de mon côté. Le caïd, le moqaddem, le gars à la wilaya*, les amis du Aziz de Samira, tout le monde. Presque tout ce que j'avais est parti dans ces démarches. J'ai appelé ceux que je connais et ceux que je ne connais pas. Ceux que j'ai baisés et ceux qui m'ont baisée.

Je ne pourrais pas te dire lequel a fait quelque chose mais ce que je peux te dire, c'est que ça a marché.

Et finalement, tous ces jours pendant lesquels j'ai remué ciel et terre sont passés sans que je m'en rende compte. Je n'ai commencé à avoir réellement peur que quand j'ai eu mon passeport. J'ai eu peur que, pour une raison ou une autre, tout ça s'arrête. Le jour où je suis allée au consulat d'Amérique pour mon rendez-vous du visa – et avant d'arriver au gars qui te pose des questions – j'ai dû perdre cinq kilos. Tous partis en transpiration.

Chaque fois que quelqu'un me parlait, je me disais : « ça y est, c'est là qu'ils vont m'arrêter ». Et chaque fois que je passais, je me disais : « si ce n'est pas là, c'est la prochaine ». Ça a été comme ça jusqu'à ce que j'arrive devant cet homme aux moustaches rouges, un Américain qui te pose des questions sur pourquoi tu veux le visa et sur ce que tu vas faire là-bas. Il te parle en marocain. Pas en anglais. Ils te parlent en marocain au consulat d'Amérique. Ils ne sont pas forts ces gens-là ?

J'ai fait la queue dans la rue, là où il y a la

police et les gros machins en métal qui ressemblent à des bennes à ordures remplies de fleurs. Tu sais, celles qu'ils ont posées après le jour où un autre taré s'est fait exploser devant le consulat il y a longtemps. J'ai fait une deuxième queue de l'autre côté de la rue, derrière la barrière où il y a encore une tonne de flics qui vérifient tes papiers et ton rendez-vous. Je suis passée.

J'ai fait la queue derrière un guichet à l'entrée où il y a un âne qui te parle comme si c'était Obama mais en blanc. Je suis passée.

Après, j'ai suivi le flot jusqu'à arriver dans un endroit où ils te fouillent et où tu laisses ton téléphone. Là aussi, je suis passée.

Je ne sais pas comment j'ai fait mais je suis passée à chaque fois. Et quand je suis arrivée au type avec les moustaches rouges, de ma vie, la peur ne m'a jamais prise comme ce jour-là.

Quand il a fini de me poser des questions, il m'a dit qu'ils me rendraient mon passeport avec mon visa dans deux jours et il m'a souri. Moi je suis restée debout pour attendre la suite. Je n'ai pas bougé de ma place. Jusqu'à ce qu'il me redise en appuyant sur son sourire que je pouvais partir. Et là, comme j'ai eu peur qu'il change d'avis, j'ai pris mes cliques et mes claques et j'ai décampé.

Je crois que c'est cette sourate que je répétais dans ma tête avant d'arriver devant le guichet qui l'a aveuglé. Ou alors la bourse remplie de nigelle que m'a donnée le fqih qui a fait un mur invisible entre moi et les autres pour qu'ils ne me voient pas. Ou alors, peut-être que j'ai fait un truc bien un jour et que je ne m'en souviens pas. Je ne sais pas.

En tout cas, le gars ne m'a posé presque aucune question. Il a regardé les papiers que m'a donnés Bouche de cheval, il a vu mon billet d'avion, il m'a demandé si je laissais ma fille chez ma mère et il m'a souhaité bon voyage. C'est tout.

Après ça, deux jours sont passés, j'ai récupéré mon passeport et je suis allée à la gare routière. J'ai pris un billet de car et je suis allée chez Mouy. Directement. Sans détour. Deux ans que je ne l'avais ni vue ni ne lui avais parlé. Deux ans.

Quant à Samia, ce n'est même pas la peine de te dire que si je ne l'avais pas portée dans mon ventre, jamais je ne l'aurais reconnue. Au moment même où je l'ai aperçue, c'est comme si on m'avait frappée. D'un coup, j'ai senti le poids de ces deux années. Au jour le jour, tu n'as pas le temps de te poser de questions mais il y a des moments où, tu ne sais pas pourquoi, tu sens les choses. Et là, j'ai senti que Samia m'avait manqué.

À Berrechid, tout était exactement à la place où je l'avais laissé. Y compris la clé de la porte d'entrée sur le rebord.

Je suis arrivée à une heure où je savais que Mouy serait seule. J'ai surgi dans son salon comme une apparition. Elle n'a pas eu le temps de lever la tête pour voir qui était entré que j'étais déjà en train de lui embrasser les pieds avec mon passeport levé dans ma main droite.

Sans m'arrêter pour inspirer, j'ai demandé sa bénédiction. Je n'irais nulle part, je ne prendrais aucun avion sans qu'elle me l'accorde. Ni pour aller en Amérique, ni en Suède, ni ailleurs. Je n'irais pas à ce festival de cinéma en Amérique parce que je suis l'héroïne d'un film. Je n'irais pas en Amérique pour m'y débrouiller un travail. Je n'irais pas en Amérique construire un avenir pour moi et pour ma fille. Je n'irais pas gagner de quoi faire de solides mandats chaque mois. Je n'irais pas commencer une autre vie. Je lui embrasserais les pieds et resterais là jusqu'à ce qu'elle m'accorde sa bénédiction. Et là seulement, je partirais.

Et tout en parlant, je lui ai tendu une enveloppe avec de l'argent pour qu'elle le garde si jamais il m'arrivait quelque chose pendant le voyage.

J'ai pleuré ce jour-là. J'ai pleuré le temps que j'ai pleuré et quand j'ai fini, elle m'a relevée et elle m'a pardonné. C'est comme ça que je suis partie.

Mercredi 24

Putain, on est en Amérique. On est arrivées. On avance sur une autoroute comme tu n'en as jamais vu. Je n'arrive pas à compter le nombre de voies qu'il y a de chaque côté de la barrière qui sépare les deux sens. Quatre ? Cinq ? Six ? Mon cou ne suit pas. Les voitures foncent de tous les côtés. Tu n'as pas le temps de te demander d'où vient l'une que déjà une autre te double en te laissant loin derrière. C'est comme s'il y avait une géante derrière nous, les cuisses ouvertes, qui en accouchait les unes après les autres. Et que le produit de son ventre était pressé de se mêler au monde. La nièce de Fatema dit des conneries. Froid, en Amérique ? Il y a un soleil à vous aveugler toi et toute ta race ! Bouche de cheval a mis ses lunettes noires et regarde par la fenêtre, avec son éternel sourire aux lèvres. Cette conne a oublié le sac dans lequel il y avait les cartouches de cigarettes qu'on a achetées dans l'avion mais elle a l'air de s'en foutre, la malheureuse. Ses lèvres sont contentes.

Les miennes aussi, je crois. À peine sorties de l'aéroport, j'ai tapé deux clopes de celles que j'avais, l'une après l'autre. Elles m'ont remis l'esprit en place.

Putain, je suis en Amérique. Je n'arrive pas à y croire. Je suis arrivée en Amérique.

Et devant, quel pont ! Non, ce n'est pas un pont. Ce sont des ponts. Ils vont dans toutes les directions. Comme les pattes d'une araignée. On passe sous l'un.

À droite et à gauche, les murs gris recommencent. Depuis qu'on est sorties de l'aéroport, il y a des moments où on voit des bouts de ville, avec des arbres, des maisons, des magasins comme Marjane*. Mais à certains moments, on ne voit plus que les murs.

Dieu seul sait ce qu'il y a derrière. Ce qui est sûr, c'est que ce n'est pas comme chez nous. Impossible qu'ils aient des choses à camoufler ici. Impossible qu'ils aient eux aussi de la tôle ondulée, de la saleté et des guenilles à couvrir.

— Qu'est-ce qu'ils ont derrière ces murs ? je demande à Bouche de cheval.

— Où ça ? elle demande en tournant la tête de mon côté. Ceux-là ?, et elle pointe le mur du doigt.

Je dis oui de la tête. En faisant une petite grimace avec ses lèvres pour signifier que ce n'est rien, elle dit :

— Ça, ce n'est rien. Ce sont juste des quartiers résidentiels. Ils montent des murs pour que les habitants soient tranquilles.

Elle dit n'importe quoi. Personne n'habite derrière ces murs. Depuis tout à l'heure qu'on est dans la voiture, je n'ai vu ni ponts pour que les gens traversent ni d'ailleurs d'ouvertures pour que les gens en sortent.

Tu vois, si je savais parler anglais, j'aurais demandé au taxi. Il saura ce qu'il y a derrière, lui. Les taxis savent toujours tout ce qui se passe. Elle, parce qu'elle habite en Hollande, elle pense qu'elle sait tout. Hé, Bouche de cheval, réveille-toi, c'est l'Amérique, ici ! Ils ont des trucs que même toi tu ne peux pas imaginer.

Putain, j'ai la tête qui tourne. Je ne sais pas

quelle heure il est. J'ai demandé à cette folle quand on est arrivées. Elle a dit qu'on est mardi, six heures et demie de l'après-midi. Alors qu'on est parties mardi matin à dix heures et demie et que les aiguilles ont fait plus que le tour du cadran depuis. Je ne sais pas comment elle a fait son calcul. Depuis tout à l'heure, j'essaie de faire le compte, je n'y arrive pas.

— Regarde par ici. C'est beau, hein ? me fait Bouche de cheval.

Je me penche pour apercevoir des constructions avec une mer au fond sur notre droite. Et de l'autre côté au loin, il y a une montagne qui est comme celle qu'il y a à Agadir. Celle sur laquelle il y a écrit « Dieu, la patrie, le roi ».

J'ai été à Agadir une fois dans ma vie. J'avais tellement bu que je ne me souviens de rien que de cette montagne. De toute façon, c'est le seul truc dont tout le monde se souvient quand il va là-bas.

Sur cette montagne, c'est écrit comme chez nous. En blanc, directement sur la terre.

— C'est quoi la devise de leur pays ? je demande à Bouche de cheval en lui montrant l'écriture sur la montagne.

Elle tourne la tête pour voir.

— Hein ? Ah, ça ! et elle rigole. Ce n'est pas leur devise. C'est juste écrit « Sud de San Francisco, cité industrielle ».

— Hmmm, et je tourne la tête du côté de ma fenêtre.

Connasse !

MAI

Lundi 6

Oua oua oua, la nourriture qu'ils ont ici. Il faut voir tout ce qu'ils te donnent. Je n'ai pas hésité une seconde quand Bouche de cheval m'a demandé ce que je voulais manger ce matin : un petit déjeuner traditionnel, c'est ce que je voulais. Quelque chose qui tienne le ventre, cent pour cent américain. Ils savent manger ces gens-là.

Si un jour toi aussi tu arrives à venir ici, c'est ce que tu dois commander. Devant moi, j'ai des œufs. Une omelette remplie de légumes. Je ne saurais même pas te dire tout ce qu'il y a dedans tellement il y a de choses. Des courgettes, des herbes, des poivrons verts, rouges et jaunes, des oignons. Il y a même de la tomate. Et à côté, il y a des pommes de terre, coupées en cubes, et des tranches de leur pain de petit déjeuner. Des tranches carrées et grandes. Bon, honnêtement, je préfère celui qu'on a chez nous mais tu peux dépanner avec celui-là quand même. Avec, ils t'amènent du beurre et de la confiture gratuitement, juste parce que tu as pris les œufs. En plus de ça, j'ai pris un bol de fruits de toutes les sortes avec du Danone dedans.

Je n'ai pas pris de gâteau parce que je n'aurais pas eu où le mettre mais il faut voir comment ils sont. Tu n'as jamais vu de gâteaux aussi grands de ta vie. Ils sont hauts et ils ont des étages. Voilà le premier étage, voilà de la crème, voilà le deuxième étage, voilà de la crème, voilà le troisième étage, revoilà de la crème. Tu n'en finis pas. Ça va jusqu'à cinq, six étages même.

À boire, j'ai commandé un café au lait. Tu sais, ils ont un système de fous ici. Quand tu commandes un café, ou un Coca ou n'importe quoi à boire – sauf de l'alcool –, ils te servent et te resservent jusqu'à épuisement. Quand tu finis ton verre, il y a le serveur ou la serveuse qui vient te demander si tu en veux encore. Tu peux en prendre même vingt si tu veux. S'ils font ça, c'est parce que les gens d'ici sont cons. Même quand ils sont en groupe, ils commandent tous des boissons. Au lieu d'en prendre une et de la partager.

Pour être honnête, je trouve que leur peuple est un peu débile. Nous on est sans le sou mais on a de la cervelle. Eux ils ont tout ce qu'il faut et ils ne se savent pas quoi faire avec. Par exemple, si tu achètes un truc et que tu n'aimes pas ou qu'il n'est pas à ta taille ou n'importe quoi d'autre, tu retournes dans le magasin avec ton paquet et ton ticket et ils te rendent l'argent. Même s'il est ouvert, même si tu l'as porté. Ils ne te demandent même pas pourquoi et ils te rendent tout l'argent que tu as payé.

Moi, depuis que j'ai découvert cette astuce, j'ai acheté trois paires de chaussures. Et trois sacs. J'ai aussi acheté deux foulards et des chaussettes. Ça énerve Bouche de cheval parce que c'est elle qui doit parler aux caissiers pour se faire rembourser. Moi, ce n'est pas mon problème. Si elle a été contaminée par leur débilité, en quoi ça me concerne ?

Du coup, je n'ai encore rien dépensé des cinquante dollars que me donne Bouche de cheval chaque jour. Je suis arrivée à quatre mille deux cents dirhams. Quatre mille six cents avec aujourd'hui.

Mais ce n'est pas ça que j'aime le plus. Depuis que je suis arrivée, le truc que j'aime le plus, c'est me promener et prendre des photos. Au centre-ville sous des immeubles hauts comme le monde. Au quartier chinois devant un magasin à la porte duquel il y a une tortue géante. Au restaurant, avec un immeuble énorme et vert derrière moi, un bol de spaghettis devant moi. À côté de leur fontaine au centre-ville, avec la statue d'une femme qui a deux enfants. Dans le parc, qui descend jusqu'à la mer. À côté du pont rouge dont ils disent que c'est le plus beau pont du monde. Qui résiste à tout. Aux tremblements de terre, aux tsunamis, à tout. Je n'ai laissé aucun coin dans cette ville où je ne me suis pas photographiée.

Il n'y a qu'un seul truc que je n'ai pas pris en photo. Mais ça, c'était volontaire. C'est les clochards. Putain, cette ville est pleine de clochards. Pire que Casa. Je ne sais pas la putain de leur race d'où ils sortent. Comme c'est Bouche de cheval qui prend les photos, je lui ai bien dit dès le début : « Prends-moi où tu veux, quand tu veux, mais pas de clochards sur mes photos. C'est l'Amérique ici. »

— *Wbuca hnioea ilea moea coffii ?*

— *Yes please,* je réponds en tendant ma tasse.

C'est la serveuse qui est venue avec ses brocs me demander si je veux encore du café au lait. Je lui ai dit oui, merci. Je l'ai vite apprise celle-là. Elle et *thank you, thank you very much, no, how much for this* et *OK.* Ça veut dire : « merci », « merci beaucoup », « non », « combien pour cette chose », et bon, *OK* tu auras compris que ça veut dire « d'accord ». C'est comme en arabe. Les gens sont gentils ici. C'est pour ça que j'ai appris toutes ces formules. Pour discuter moi aussi.

C'est comme l'autre jour, il m'est arrivé un truc trop drôle. Je venais de me réveiller, je voulais fumer et on n'avait plus de cigarettes. Bouche de cheval dormait profondément. J'ai enfilé vite fait ma jellaba et mes sandales, pris mon porte-monnaie et couvert ma tête avec le premier foulard que j'ai trouvé pour discipliner mes cheveux. Je marchais vers l'épicerie qui est derrière notre hôtel et à un moment, il y a une voiture rouge avec deux mecs qui passe devant moi.

Ils m'ont dépassée et j'ai vu celui qui était à côté du conducteur me montrer du doigt et dire à son copain de faire demi-tour. Quand ils sont repassés devant moi, pour rigoler, celui qui était devant a baissé sa vitre, a pris un air méchant et m'a fait en pointant son doigt comme s'il tenait un pistolet : « Bam. » Comme il jouait bien, il était sérieux et il n'a pas rigolé. Et avec son crâne rasé et ses tatouages, il avait l'air vraiment méchant.

Mais c'était oublier sur qui il est tombé. Moi, pour lui montrer que je joue bien aussi, j'ai porté mes mains à mon cœur comme s'il était touché et j'ai fait semblant de tomber sur le trottoir.

Lui et son copain sont restés bouche bée tellement j'ai bien mimé.

Il n'y a pas à dire, si je gagne un prix à ce festival, c'est parce que je suis trop forte.

J'ai fait faire ma robe de soirée sur mesure. Dès que j'ai su que j'allais partir, j'ai été chez la couturière. C'est la même tenue que celle que porte Najat sur son avant-dernier album. Celle qu'elle portait aussi pour cette soirée à la télévision, il y a longtemps. C'est une lebssa* rose, avec des broderies argentées sur le devant, le col et les manches. Et des grosses perles grises au milieu de fleurs dorées tout au long de la broderie centrale. Avec un seroual doré, qui descend en rétrécissant sur les chevilles. Et une ceinture grosse comme ça, sans perles sinon elles tomberaient. C'est une tenue de folie.

Alors pour qu'elle soit vraiment complète – et pour la première fois de ma vie –, j'ai acheté des dessous assortis. Un ensemble soutien-gorge et culotte. Roses. En dentelle tous les deux.

Et comme Najat, j'ai pris des sandales à talons dorées et des boucles d'oreilles à pendants. Ce n'est pas du vrai or mais tu jurerais que c'en est. Et je vais arranger mes cheveux exactement comme elle sur la photo que j'ai emmenée avec moi pour ne pas me planter le jour de la fête.

Parce que, tu sais, nous aussi, on va être comme ceux du festival de cinéma de Marrakech qu'ils passent sur Al Aoula. On va arriver à la salle où ils vont faire le festival, on va s'arrêter devant les gens, on va prendre des photos. Il y aura des caméras, des journalistes, des gens derrière des barrières. Comme à la télévision. Déjà, on a été à une soirée le jour où on est arrivées et ça te donne un aperçu de ce qui va se passer. C'était dans un hôtel, au centre-ville. Ils ont fait la fête sur le toit, au bord de la piscine, comme à Casa.

Il y avait une tonne de gens. Tout le monde était bien habillé. Tout le monde était content. Il y avait un buffet rempli de trucs à manger. Et une table pleine de bouteilles d'alcool. Et tout était gratuit.

Ce que j'ai tapé ! Du vin, de la bière, de la vodka, du gin. J'ai tapé jusqu'à ce que je tombe. Au moment de partir, les Noirs de la sécurité ont dû me porter pour m'emmener jusqu'à la voiture.

Le lendemain, Bouche de cheval s'est énervée contre moi. Genre, ça ne se fait pas. Moi je n'ai même pas discuté avec elle. Je l'ai laissée parler dans le vide. Pourquoi ils ont posé tout cet alcool si ce n'est pas pour que les gens fassent la fête ? Ce n'est pas comme si j'avais eu l'alcool mauvais, ou qu'il y avait eu une bagarre ou un truc comme ça. J'ai bu et je suis tombée, c'est tout.

Et en plus, je lui ai dit, s'ils avaient donné aux gens de la bouffe normale pour caler, ça ne serait pas arrivé. Eux ils ont posé du pain coupé en deux avec des trucs froids dessus. Ils se moquent de nous ou quoi ? Mais bon, à part ça on a bien rigolé ce soir-là. Dommage que Kaïs ne soit pas venu avec nous. Il aurait bien aimé être ici. Mais il paraît qu'il tourne dans un film en ce moment.

Mais même sans lui, je me suis bien amusée. J'ai rencontré des gens, j'ai discuté, j'ai rigolé, j'ai tout fait. Non, si tu penses que j'ai fait quelque chose du genre je suis partie avec quelqu'un, tu te trompes. Il n'y a rien de tout ça ici. Ici, je suis une actrice connue.

Je leur raconte que chez nous, au Maroc, les gens me disent bonjour dans la rue, que je passe à la télévision, que je signe des autographes, tout. Que je suis comme Najat. Que quelqu'un vienne me contredire !

Tu sais, au bout de quelques verres, tu comprends ce que disent les gens. Même s'ils ne parlent pas ta langue. Je ne sais pas si c'est moi parce que j'ai l'esprit vif ou si c'est comme ça pour tout le monde. Mais ce qui est sûr, c'est que j'ai tapé la causette avec une tonne de monde.

Il y a même un gars qui connaissait le groupe de Bouche de cheval, Nass El Ghiwane, tu te souviens d'eux ? Heureusement que Bouche de cheval m'a fait entendre leur musique. Tu imagines la honte si je ne les connaissais pas alors qu'un Américain les connaît ?

Il était même déjà allé au Maroc. À Essaouira. Et il a mangé du poisson sur le port. Et il a vu les mouettes. Et il a eu froid à cause du vent. Il a fait une tonne de choses. Quand j'ai vu qu'il savait tout ça, j'ai saisi la première occasion qui s'est présentée et je me suis cassée. Des fois qu'il me démasque.

Ce soir-là, pendant que je parlais aux gens, il s'est passé un truc bizarre. Même si j'étais détendue, j'étais concentrée quand même. C'était le premier soir pour moi ici et on n'était pas n'importe où. Alors j'avais une partie de ma tête qui faisait attention à ce que je faisais, une autre qui travaillait à comprendre ce que disent les gens et une autre encore qui les regardait pour voir comment ils fonctionnent entre eux.

Dans tout ça, j'étais tellement occupée que je n'ai pas vraiment regardé ce qui m'entourait.

Et à un moment, mes yeux ont été surpris par une lumière qui clignotait dans le ciel. Un avion, je crois. J'ai levé les yeux. Et c'est là que j'ai vu. J'ai vu tout ce qui nous entourait.

De l'endroit où j'étais, je saisissais la ville

entière. Toute en lumières. Des jaunes, des bleues, des orange, des vertes. Toutes les couleurs étaient là. Les voitures dans la rue – très loin en bas – paraissaient petites, comme des jouets. Je ne pouvais même pas distinguer les gens.

Et derrière les immeubles au loin, un pont construit dans les airs. Comme une image qui n'existe pas, sauf dans les mirages de ton esprit. Gigantesque. Illuminé. Un pont comme je n'en ai jamais vu et comme je n'en verrai jamais, je crois. Un pont qui prend toute la place. Debout. Qui veille sur la ville. Fier. Et à raison.

Et ces immeubles qui montent au ciel. Et cette musique qui les suivait. Comme intimidée. Qui voulait les rejoindre pour voler avec eux, elle aussi.

Et ce ciel, vaste, sans fin, plein d'étoiles et des songes de ceux qui dorment.

Et moi. Moi, debout sous tout ça. Avec mon costume d'institutrice. Et mes cheveux attachés derrière ma nuque. Avec tous ces gens qui m'entourent. Propres. Bien habillés et heureux eux aussi.

J'ai eu envie de pleurer. J'ai vu tout ça, je me suis vue et je ne sais pas pourquoi j'ai eu envie de pleurer. Je ne sais pas pourquoi.

Mercredi 8

Ça y est, on y est. On est dans la salle des fêtes. On est assises en train d'attendre que l'homme au costume qui est sur l'estrade appelle les noms. Une femme, avec une robe longue blanche, est debout à côté de lui. Parfois, c'est elle qui parle. C'est bientôt notre tour, m'a dit Bouche de cheval, bientôt notre tour.

Je ne sais pas comment j'ai fait pour arriver jusqu'à ce siège rouge. Je voulais te raconter mon entrée dans la salle et les photos et les poses que j'avais faites devant les caméras. Et mes sourires et les mains que j'avais serrées mais je ne peux pas. Je ne sais pas moi-même comment ça s'est passé. Je ne sais pas si j'ai souri ou pas, si j'ai fait la pose du paon ou pas.

Je suis juste déjà là, lèvres ouvertes. Assise devant avec Bouche de cheval et tous les autres, des gens du cinéma que je ne connais pas. Ils parlent et ils rient entre eux.

Je suis dans un film sans son, avec juste des bourdonnements de chaque côté de ma tête et des images qui glissent l'une au-dessus de l'autre. L'une chassant l'autre.

Tout brille. Les robes colorées des femmes. Leurs dents. Leur or. Leurs diamants. Les chemises blanches de leurs hommes.

Et ma robe aussi, avec son satin rose, ses perles grises et leur reflet qui danse avec la lumière du plafond.

Autre image. Mes pieds se réconfortent l'un l'autre, dans des sandales dorées, avec leurs ongles roses et nacrés.

Et Bouche de cheval à ma gauche. Dans un pantalon, noir cette fois. Avec des bottes en cuir noires. Et une chemise rouge. Et un collier en argent, presque aussi gros que son cou. Et sa chevelure, timide d'être de sortie ce soir. Elle est comme un oiseau frêle.

Et ma voisine dont je ne vois que les genoux. Saillants sous sa robe blanche et pailletée.

Et ses mains sûres d'elles qui cabriolent pendant que sa bouche leur donne le tempo. Avec leurs ongles rouges au bout et un bracelet en diamant au poignet. Un bracelet seul. Qui n'a besoin de rien d'autre que de lui pour exister.

Et devant nous, l'estrade. Celle d'où l'homme au costume et la dame à la robe blanche t'appellent. Avec un pupitre, derrière lequel ceux qui gagnent les prix vont parler.

Je ne vois plus les choses aussi bien maintenant. Ils éteignent la lumière. Le son est en route vers moi mais il est encore lointain. Ils commencent à appeler les gens je crois.

Ma salive peine à franchir ma gorge et ma poitrine est trop étroite pour mon souffle. Les mots qui voudraient demander à l'oiseau frêle si notre tour est arrivé ne trouvent pas la sortie.

Ils se percutent. Ce sont des corps sans tête incapables de guider leurs pieds.

Je la regarde, et mes yeux – qui m'ont prise en pitié – lui demandent : « C'est notre tour ? »

— Pas encore, elle répond.

Sa main serre la mienne. Et elle se tait.

Je sens sa peur. Elle a travaillé dur pour ce film. C'est son premier. Ses lèvres qui tremblent pendent au bout de son espoir.

Ils appellent les gens. Il y a plusieurs prix. L'homme qui a eu celui-là monte sur l'estrade en courant. Il porte un costume noir, il est magnifique, même s'il est un peu trop blanc. Et même s'il n'est pas bien rasé. Ses yeux clignent de la lumière qui vient d'en haut, droit sur lui. Et des flashes des photographes. Il dit des choses. Il sourit. Il lève son prix au ciel. L'objet a l'air léger. Le cœur de l'homme aussi.

Il descend. Ils vont appeler quelqu'un d'autre.

« C'est notre tour ? » redemandent mes yeux. « Pas encore », me répond sa main.

Le suivant monte. Il ne sait pas où regarder. Sa tête tourne de tous les côtés. Il ne dit rien. Il pleure. C'est un homme. Mais il pleure comme un enfant.

Devant les caméras. Celles des côtés, celles de devant. Et même celles d'en haut, accrochées au plafond.

Les caméras. La première chose que j'ai vue en entrant dans la salle. Debout sur leurs pieds qui ne fatiguent jamais, ou accrochées à leurs solides bras, elles tournent et regardent le monde. De temps en temps, elles pivotent vers nous, le public. Quoi que je fasse, ce sera inscrit pour toujours dans leurs mémoires.

L'homme redescend. Le temps file.

Mon cœur bat. J'ai l'estomac vide et la poitrine creuse. Malgré ça, il n'y a qu'elle qui existe. Je ne suis rien qui ne soit relié à elle. Une poitrine vide et qui résonne du battement de mon cœur.

C'est notre tour. La main qui tient la mienne se contracte. C'est notre tour. Il n'y a plus rien autour. Il y a ma poitrine, la sienne et nos mains. Et le film qu'on a tourné.

Ma poitrine, la sienne, nos mains et le film.

Ma poitrine, la sienne, nos mains et le film.

Ma poitrine, la sienne, nos mains et notre film.

Je suis tirée vers la gauche et mon corps se lève.

Il passe devant des genoux qui se poussent.

Il passe sous mes cheveux qui tombent sur mon visage.

Il passe sous des applaudissements légers.

Il suit le pantalon noir et les bottes en cuir.

Il traverse une allée et arrive devant des marches.

Il sent – dans le public – les vibrations des mains qui battent.

Mes sandales me guident. Elles embrassent les marches, l'une après l'autre. Joue droite, joue gauche. Joue droite encore. Elles continuent de suivre les bottes qui n'ont plus l'air de connaître la route. Une fois sur l'estrade, elles avancent, vont sur le côté droit et reviennent à gauche.

Puis elles s'arrêtent d'un coup, quelque part à côté du pupitre. Nous sommes arrivées.

Je ne vois rien dans la salle. À droite, c'est noir. À gauche, c'est noir. En haut, il y a la lumière qui aveugle. Devant, je ne vois pas les gens. Je n'entends que les applaudissements qui grandissent.

Là, la main de mon amie. Elle est fine mais ferme. Elle tremble entre mes doigts, pleins et ronds.

Je la serre. De toute la force de la mienne.

Elle ne peut pas casser. Sa main est fine mais solide. Elle est fine mais déterminée. Elle est fine mais elle nous a menées ici.

C'est elle qui me lâche. Pour prendre le prix – une sculpture en verre – et le porter au ralenti à ses lèvres. Qu'il quitte très vite pour aller se poser sur le pupitre, devant elle.

Mon amie parle, parle, parle. Comme le premier jour où je l'ai rencontrée. Même si je ne comprends pas un mot de ce qu'elle dit, je sais qu'elle parle vite. Et je sais qu'elle est heureuse. Très heureuse. Elle dit plein de choses et j'entends mon prénom et Casablanca et encore mon prénom. Elle parle et elle rit.

Et elle me montre de la paume de sa main et les gens applaudissent et ils applaudissent et ils applaudissent. Et dans la salle, je les sens se lever, comme un seul homme.

Et Chadlia me regarde, avec le plus grand sourire qu'elle ait jamais eu depuis que je la connais. Elle rit plus grand que toute sa bouche. Elle rit plus grand que son visage. Et sa paume continue de me montrer. Et elle me tire vers le pupitre et elle me tend le prix et il est lourd entre mes bras. Je crois que je dois dire quelque chose. Le public applaudit encore. Il est debout.

Je dois dire quelque chose.

Putain, je dois dire quelque chose.

Putain de couilles de merde, je dois dire quelque chose.

— Heu… *Thank you.*

Ils attendent encore. Qu'est-ce que je vais vous dire ?

— Heu… *Thank you. Thank you. Thank you very much,* je dis dans le micro.

Ils sont encore debout et ils continuent. Ils ne veulent pas s'arrêter.

Un truc monte en moi. Je suis en train de me remplir. Ça monte par mes pieds, comme des fourmis. Et ça accélère. Ça monte dans mes jambes, ça arrive à ma taille qui enfle sous la ceinture. Ma poitrine maintenant. Ma poitrine qui se remplit d'air. Un air qui la nettoie comme une tornade. Je crois que c'est de la joie.

D'un jet, tout ça est propulsé vers le haut. L'air monte le long de mon cou, il purifie ma gorge, il clarifie ma voix, il pénètre dans ma bouche, il sort ma langue de sa torpeur, il écarte mes lèvres. Et, pur et clair et plus léger que tout, les bras ouverts, il se jette hors de mes lèvres :

— *You you you you you you you you you you you you you you you you you you you you you you you you you you you you you you you you you you you you you you you you you you you you you you you you you you you you you you you you you you you you you!*

Épilogue

2018

MAI

Mardi 8

— Jmiaa ! On y va !

Je n'ai pas la force de me lever. Ce soleil m'a fait tourner la tête. Je crois que cette boisson que je viens de taper était la boisson de trop.

— Allez debout, dit Samira.

— Je ne peux pas, je souffle.

— Debout, ça suffit ! elle me dit.

— Je te jure que je ne peux pas, je continue en m'essuyant.

Mon front est mouillé de sueur.

— Il faut que je prenne quelque chose pour diluer tout ça. Je ne me sens pas très bien.

Le soleil me tape en plein dans le visage. La rue autour de nous est animée. Des gens vont et viennent, chacun occupé à quelque chose.

— Putain, ce que tu es chiante, elle me dit en se levant et en me tournant le dos.

Et elle ajoute :

— Moi, je me casse. J'ai dit à ta fille que j'allais l'emmener acheter une tenue.

La jellaba jaune de Samira fait le bruit de la jellaba pressée : « *pft pft pft pft* ». Elle marche vite et ses cheveux se promènent de part et d'autre de son cou.

Sur ma droite, j'entends :

— *Liefje*, ça ne va pas ?

— Il me faut ce médicament que tu me donnes quand la nourriture ne veut pas passer. Mon ventre va exploser, je réponds.

— OK, je te l'amène.

Maaizou me tourne le dos et entre dans la caravane sur ma droite. C'est à peine le troisième jour de tournage et je suis déjà fatiguée. Je crois que c'est cette chaleur.

J'ai l'habitude du soleil et de la chaleur mais celle du Mexique n'a rien à voir avec celle du Maroc. Quand le soleil tape, il t'en met sur la tête jusqu'à ce que tu ne puisses plus distinguer ce qui se passe autour de toi. En plus, on filme en extérieur aujourd'hui.

En général, on est en train de dormir à cette heure mais la scène qu'on a tournée hier et celle d'aujourd'hui se passent à l'heure de la sieste. Qu'est-ce que je peux faire contre ça ?

Boire de la limonade, c'est tout ce qu'il y a à faire. Et avec les déjeuners qu'ils nous donnent, j'ai le ventre tendu comme une outre. Alors, je tape le bicarbonate de soude que me prépare Maaizou pour faire passer.

Heureusement que je ne bois plus d'alcool.

Ça n'aurait pas bien donné avec ce soleil. Même si quand il fait chaud comme ça, honnêtement, il n'y a rien de mieux qu'une bière bien glacée qui transpire autant que toi.

Mais j'ai juré : jamais plus. J'ai juré devant le docteur Fernando qui m'a libérée et j'ai juré devant moi face au miroir. « Jamais plus une goutte d'alcool ne passera la gorge de Jmiaa. Jamais. Ni dans ce monde ni dans l'au-delà. »

C'est dur. Mais que veux-tu ? Celui qui veut du miel doit supporter la morsure de l'abeille.

Ça fait cinq ans jour pour jour qu'on a remporté le prix, Chadlia et moi. Et depuis ce jour, tout a changé.

En arrivant à Casablanca, un producteur qui m'avait vue dans mon film en Amérique a appelé Chadlia pour lui dire qu'il voulait tourner avec moi. Ça faisait trois mois que j'étais rentrée, et moi j'étais déjà en train de ramasser mes affaires et de l'argent pour immigrer clandestinement en Amérique. Après avoir reçu le prix, j'étais tellement contente que je voulais rentrer au Maroc pour le dire à tout le monde. Ce n'est qu'une fois arrivée que je me suis rendu compte que j'avais fait une connerie et qu'il fallait que je me re-casse.

Et là, ce type sorti de je ne sais où a appelé. Rodrigo Buenavista il s'appelle. Il voulait lancer un nouveau feuilleton mexicain dont l'héroïne vient du Moyen-Orient.

L'histoire, c'est un gars, le propriétaire d'une ferme grande comme les prés, qui va dans un désert au siècle dernier et qui rapporte une femme grande et brune, avec des yeux immenses. Une Arabe typée et ronde, avec des cheveux longs qu'elle passe son temps à coiffer.

Don Camillo – c'est le héros – rencontre Oumaïma – c'est moi – et après plein d'aventures dont je te passe les détails, la ramène avec lui au Mexique. Dans la maison de ses parents. Ils appellent ça une hacienda, ici.

Toute sa famille habite dedans. Son père, sa mère et ses sept frères et sœurs. Avec lui, ça fait huit. Plus les bonnes et les valets de ferme et leurs enfants et je ne sais plus qui encore tellement ils sont nombreux.

Comme le Don Camillo est très riche et que c'est le fils aîné, sa famille a des plans qui n'en finissent pas pour lui. Sa mère veut le marier avec la fille de sa cousine. Son père avec la fille du type qui possède les collines voisines. Sa sœur avec sa meilleure amie. Il a même deux de ses frères qui veulent se débarrasser de lui pour hériter à sa place. Du coup, quand il m'amène comme femme, ça fout encore plus le bordel dans sa famille de dérangés. À partir de là, tout l'enjeu devient d'éliminer Oumaïma pour revenir à leurs plans de départ.

Mais mon personnage, comme il est futé, il esquive les coups qui viennent de tous les côtés. Il n'y a pas un épisode où il ne se passe pas quelque chose d'inattendu dans ce feuilleton. Alors ça fait trois ans que ça dure. Et chaque année, il s'y passe des choses nouvelles.

Et comme il marche bien, il passe même au Maroc. Tous les jours sur Al Aoula à quatorze heures trente. Il n'y a pas une personne que je connaisse là-bas qui ne le regarde pas. Hamid dans sa cabane, les filles dans leurs chambres, Abdelali du restaurant, Okraïcha du deuxième, Mouy et ses voisines, mes frères et leurs femmes… tout le monde. Même Chaïba qui a laissé tomber sa pute de Hajar le regarde en racontant à tout le monde – sauf à sa femme – qu'on a failli se marier lui et moi.

Et tu sais pourquoi ça marche à ce point chez nous ? Parce que c'est la première fois qu'une actrice marocaine joue dans un feuilleton mexicain.

Quand je rentre maintenant, il y a même des gens qui me reconnaissent dans la rue. Et Mouy, dès l'aéroport, elle me fait un comité d'accueil comme il n'en existe pas deux. Elle amène des bnader, mes frères, leurs femmes, parfois des cousines. Ils chantent, ils tapent dans les mains, ils font des youyous, comme si je rentrais du hajj*. Ça fait plaisir. Il n'y a que Samia que ça dérange. Elle dit qu'on lui fout la honte. Mais que veux-tu que je te dise ? Elle a quinze ans maintenant et c'est un âge un peu difficile.

À vrai dire, c'est surtout la mort de son père qui l'a perturbée. Même si elle ne se souvenait pas vraiment de lui, elle savait qu'elle avait un père quelque part en Espagne et qu'un jour elle le reverrait. Et l'année dernière – alors que c'était la première fois qu'il rentrait au Maroc depuis son départ –, le car dans lequel était ce malheureux s'est renversé entre Tanger et Rabat. Et il est mort dedans. Ce n'est pas un sort de merde, ça ?

Tu sais, malgré tout, j'ai pleuré. Je ne l'ai dit à personne et je n'ai rien montré mais j'ai pleuré. La gamine aussi mais ça, c'est normal.

Le problème, c'est que depuis, elle n'est plus tout à fait elle-même. Alors moi, pour ne pas la laisser dans cet état, je lui ai emmené Samira. Je lui ai fait son passeport et je l'ai emmenée. Vu comment elle s'est occupée de moi quand j'étais malade, j'étais sûre que je ne trouverais personne pour lui tenir compagnie aussi bien qu'elle quand je travaille. Mais elle ne passe pas toute l'année avec nous. Juste six mois par an. Parce que sinon, il lui faut un visa et là ça devient compliqué.

— Tiens, bois.

Maaizou me tend le verre d'eau dans lequel il a mélangé le médicament. Son visage est rouge, comme tous les jours. Il ne va jamais réussir à se faire à ce soleil. Il ne va jamais bronzer comme les gens normaux.

Ça fait deux ans qu'il m'a rejointe ici et ça fait deux ans qu'il grille, le malheureux. Mais il ne dit rien. Il ne dit jamais rien.

Il est comme il a toujours été. Gentil et portant des lumières qui font deux fois lui.

Et maintenant, il parle arabe presque aussi bien que moi.

Moi, pour le moment, je ne parle pas encore hollandais. Le seul truc que je comprends, c'est *liefje.* Ça veut dire « ma petite chérie ». Genre.

En espagnol, ils disent *querida.* Je le sais parce que leur langue m'est rentrée dans le sang tout de suite. Tu me verrais parler, tu dirais que je suis l'une d'eux. En mieux.

Personne n'a compris comment j'ai fait pour apprendre aussi vite.

Et pourtant, depuis le début je leur dis que j'ai l'esprit vif.

GLOSSAIRE

Abdelhalim Hafez Chanteur, luthiste et acteur égyptien des années 1950-1960 à la renommée légendaire. Son statut d'icône est tel que dans le monde arabe, on le désigne la plupart du temps par son seul prénom.

Aïcha Kandicha Djinn (esprit) féminin, elle est très présente dans la mythologie populaire marocaine, quoique diversement figurée. Certains l'imaginent en démone aux pieds fourchus, d'autres en sorcière, ou encore en revenante à la beauté renversante. Tous s'accordent sur son caractère maléfique.

Aïn Diab Littéralement, la « source aux loups ». Plage de la ville de Casablanca.

Alpha 55 Centre commercial situé au cœur de l'ancien « quartier européen » de Casablanca. En raison de son ancienneté (il a été fondé en 1979), c'est un point de repère pour les Casablancais.

Amr Diab Chanteur égyptien à la mode pendant les années 1990, il est l'un des premiers à avoir marié sonorités orientales et musique pop occidentale. Également un des premiers « crooners pour midinettes » arabes.

Anafa Du français « en avant ».

Apaches du Raja Avec le Wydad, le Raja est une des deux grandes équipes de foot de Casablanca. Ses supporters

« ultra » sont réputés particulièrement violents. L'insulte *awbach* (mot rare d'arabe classique désignant un type d'insectes, mais communément traduit par les Marocains en « apaches »), souvent utilisée au Maroc pour décrire les hooligans, vient d'un discours de Hassan II datant de 1984. C'est le terme qu'il avait choisi pour qualifier les émeutiers qui, cette année-là, avaient mis à sac plusieurs villes pour exprimer leur colère contre le renchérissement du prix du pain.

BA Littéralement, « mon père ».

BA LAHCEN BECHOUIA « Vas-y doucement, père Lahcen. » Un des tubes de Lhajja Hamdaouia, évocation transparente de l'acte sexuel.

BARGACHE Abderrahim Bargache, souvent désigné par son seul patronyme, présentateur d'une émission culinaire télévisée des années 1980. Célèbre pour ses recettes autant que pour son embonpoint.

BILLETS BLEUS La valeur la plus haute des billets marocains est le billet de deux cents dirhams, de couleur bleue.

BIMO Marque de biscuits marocains, devenue un mot générique pour désigner un biscuit.

BIN-OU-BIN Littéralement, « entre deux ».

BISMILLAH Littéralement, « au nom de Dieu ». Expression marquant le début de toute chose dans la culture musulmane. Au Maroc, « *dire bismillah* » signifie « commencer ».

BNADER Pluriel de *bendir*: instrument à percussion, traditionnellement confectionné en peau de chèvre.

CHAABI Littéralement, « populaire » : nom donné à la musique du même genre.

CHEIKH YASSINE De son vrai nom Abdessalam Yassine, leader d'une confrérie politico-religieuse mort en 2012.

CHEMKARA Féminin (ou pluriel) de *chemkar*: clochard édenté, généralement zébré de cicatrices, accro aux psychotropes ou autres substances hallucinogènes.

CHIKHATE Pluriel de *chikha.* Chanteuses populaires marocaines aux textes gouailleurs. Matrones souvent bien en chair, elles sont parfois associées à l'amoralité, voire à la prostitution, en raison de leur indépendance d'esprit et des soirées arrosées qu'elles animent. Elles sont en fait les gardiennes d'un riche patrimoine poétique que les Marocains commencent depuis peu à redécouvrir et à célébrer avec respect.

CHOUFI GHIROU, A LA'ZARA 'ATA ALLAH... « Cherche-toi un autre homme, ce ne sont pas les célibataires qui manquent. » *Choufi ghirou* est le titre d'une célèbre chanson de Najat Aatabou (voir plus bas).

CHOUMICHA Présentatrice d'émissions culinaires à succès.

CIMI Adaptation de CMI, Compagnies mobiles d'intervention, équivalent des CRS français. On dit « un Cimi » comme on dit « un CRS ».

DERB OMAR Quartier commerçant de Casablanca, de vente au gros principalement.

ÉPICERIE Les épiciers berbères font souvent office de réseaux transméditerranéens informels de transfert de fonds. L'envoyeur donne des dirhams à un épicier au Maroc, et le récipiendaire récupère l'équivalent en euros (moins une commission) chez son cousin installé en Europe – et vice versa.

FQIH Mystique religieux, guérisseur, cartomancien ou sorcier – souvent un mélange des quatre –, le fqih fait office au Maroc de « psy du peuple ». Interpréter les rêves est une de ses spécialités.

FTOUR Repas de rupture du jeûne pendant le ramadan. Le même mot est employé pour « petit déjeuner ».

GHASSOUL Argile minérale au pouvoir nettoyant, largement utilisée comme soin capillaire par les femmes marocaines.

GUERRAB Vendeur d'alcool clandestin opérant la nuit, les débits de boissons autorisés fermant à vingt heures.

HAJJ Pèlerinage à La Mecque.

HARIRA Soupe épaisse à base de tomates, farine, herbes et féculents.

ILYEH Du français « il y est », interjection pour célébrer un but au football, généralement hurlée par des supporters survoltés.

IMAD NTIFI Célèbre présentateur d'émissions musicales et de divertissement.

JDIDA EL JADIDA Ville portuaire à une centaine de kilomètres au sud de Casablanca.

JEMAA EL-FNA Place de Marrakech, célèbre pour ses conteurs et charmeurs de serpents. Elle a été inscrite au patrimoine culturel immatériel de l'humanité en 2001 par l'Unesco.

JMIAA BENT LARBI « Jmiaa, fille de Larbi ».

KAABA Bâtiment cubique noir, au centre de la grande mosquée de La Mecque. La Kaaba est littéralement l'épicentre de l'islam. Faire sept fois le tour de la Kaaba est l'exercice principal de la liturgie du pèlerinage musulman.

LEBSSA Tenue marocaine traditionnelle, souvent très colorée, portée par les femmes dans les grandes occasions : mariages, baptêmes et autres cérémonies.

LHAJJA Féminin de *Haj*, titre accordé à toute personne ayant effectué le pèlerinage à La Mecque. Appellation commune pour désigner respectueusement une personne âgée.

LHAJJA HAMDAOUIA Célèbre chanteuse populaire marocaine.

MAAIZOU Littéralement, « petit chevreau ». Expression familière, à mi-chemin entre la moquerie et l'affection, pour désigner un individu plus ou moins chétif, mais surtout doté d'une « touche » particulière.

MAALLEM Maître artisan. Plus généralement, ce terme est employé pour désigner toute personne qui maîtrise un métier ou une activité particulière, comme marque de reconnaissance de sa compétence.

MAÂMORA Forêt de chênes-lièges de la région de Rabat s'étendant sur plus de cent cinquante mille hectares.

MAÂRIF Quartier commerçant de Casablanca abritant de nombreuses boutiques et cafés. Haut lieu de drague, jeunes filles et garçons y paradent les week-ends, habillés à la dernière mode.

MARJANE Chaîne d'hypermarchés.

MEN DAR LDAR Littéralement, « de maison en maison ».

MKHARKA Gâteau au miel, traditionnellement préparé pour le ramadan, il accompagne la harira (voir plus haut).

MOQADDEM Agent du ministère de l'Intérieur. Situé au bas de l'échelle administrative, il est chargé du contact « de proximité » avec la population – fonction dont il fait souvent une source de profit.

MOQATAA Siège d'arrondissement, administration de proximité qui délivre les documents officiels basiques (certificat de naissance, attestation de résidence, etc.).

MOUKHTAFOUNE Émission de télévision dont le concept consiste à retrouver des personnes disparues. Équivalent du « Perdu de vue » français.

MOUSSEM Les *moussems* sont des festivals régionaux

annuels qui associent la célébration de saints locaux à des activités commerciales, distractions foraines et divertissements grand public (concerts de troupes folkloriques, fantasias…).

Mouy Littéralement, « ma mère ».

Msemen Crêpe à base de pâte feuilletée.

Najat Aatabou Chanteuse populaire marocaine à la célébrité internationale. Surnommée « la lionne de l'Atlas », elle chante le combat des femmes dans une société machiste et incarne un féminisme populaire intrépide et décomplexé.

Nancy Ajram Chanteuse libanaise de variétés, aussi célèbre pour ses chansons d'amour que pour ses décolletés plongeants.

Nass El Ghiwane Groupe musical marocain mythique, les Nass El Ghiwane ont marqué les années 1970 avec leurs paroles engagées et poétiques, ainsi que leurs rythmes révolutionnaires. Martin Scorsese les a qualifiés de « Rolling Stones de l'Afrique ».

Nassima Lhour Célèbre présentatrice d'émissions de témoignages « sociaux », sorte de Jean-Luc Delarue marocaine. En raison de sa grande empathie avec les « petites gens », elle est considérée dans les couches populaires comme la quintessence du journalisme.

Okraïcha Littéralement, « la sorcière ».

Pépites Graines de tournesol ou de citrouille grillées et salées. Éplucher et manger des pépites se fait dans un geste caractéristique exigeant dextérité et pratique, résultant en général d'une oisiveté intensive. Activité hautement addictive, elle est aussi idéale pour accompagner les promenades entre amis ou les contemplations solitaires de scènes de rue.

Rfissate (pluriel de *rfissa*) Plat de fête à base de poulet, de msemen, de fenugrec et de lentilles, préparé traditionnellement pour la nouvelle accouchée.

Rial De l'espagnol *real*, monnaie anciennement utilisée dans le nord du Maroc sous occupation espagnole. La monnaie n'a plus cours aujourd'hui, mais est toujours utilisée comme unité de compte par les Marocains, en particulier dans les couches populaires. Un rial est l'équivalent de cinq centimes, soit un vingtième d'un dirham, la monnaie marocaine actuelle (1 dirham = 20 rials).

Robio Surnom donné aux roux au Maroc. De l'espagnol *rubio*, roux.

Sanicroix Marque de nettoyant domestique, nom générique donné à tous les produits de nettoyage pour le sol.

Selham Cape masculine longue, généralement blanche, portée pour les grandes occasions, au-dessus d'une jellaba.

Semsara Féminin de *semsar*. Un *semsar* est un intermédiaire qui aide à conclure une transaction en vue de se procurer un bien (logement, automobile…) ou un service (recrutement de domestique, facilitation de procédure administrative…), en échange d'une commission à négocier. Les *smasria* (pluriel de *semsar*) se recrutent souvent sur les terrasses de café, et travaillent toujours informellement. Ceux spécialisés dans le placement des « bonnes » sont généralement des femmes.

Shahrukh Khan Acteur indien, star de films bollywoodiens immensément populaire au Maroc.

Si Mohamed Nom utilisé par défaut pour héler un inconnu.

Siviana Prononciation marocaine de « Sévillane », une marque de sardines en boîte bon marché très populaire dans le pays.

SPÉCIALE et STORK Marques de bière marocaines, les plus abordables du marché.

TRENTE-SIX Unité de soins psychiatriques située près de Berrechid, à trente-six kilomètres exactement au sud de Casablanca.

TWIN Abréviation de « Twin Center », centre commercial au pied de deux tours jumelles à l'entrée du quartier Maârif, à Casablanca.

WILAYA Préfecture. Le wali, plus haute autorité siégeant à la wilaya, est un personnage considérable au Maroc.

DE LA MÊME AUTRICE

Aux Éditions Gallimard

LA VÉRITÉ SORT DE LA BOUCHE DU CHEVAL, 2018
(Folio n° 6819)